「よそもの」が日本を変える

地域のものづくりにチャンスあり

まえがき

「よそもの」がシン・チホウを生む

「よそもの」は「異分子」「アウトサイダー」などの言葉にも言い換えられ、時としてネガティブなイメージもあります。しかし今、ニューノーマルでの変化の鍵を握るのは「よそもの」にあると感じています。そして「よそもの」を活用してよみがえるシン・チホウ（新・地方）があちこちに生まれる予感がします。

COVID－19（新型コロナウイルス感染症）は世界中で大都市での働き方を一気に変え、雇用も減少。人々の「仕事」の捉え方やライフスタイルの考え方も変化し、一部の都市生活者たちは生活の拠点を郊外や地方にスライドし始めました。総務省が2021年1月29日に公表した20年の住民基本台帳人口移動報告によると、東京都からの転出者数が40万1805人と前年比4・7%増え、14年以降で最大になっています。「よそもの」が閉鎖的傾向の強い地域に入り込むことで、ポテンシャルが眠る日本の地方が大きく変わる可能性があります。

その背景にあるのは、今やビジネスを語るうえでも欠かせない環境に対する取り組みです。産業革命から始まった大量生産は、強い国から弱い国への搾取、そして弱い国での量産は環境からの搾取という形で、見えない借金を自然界から重ねてきました。COVID-19のパンデミック(世界的大流行)は、全世界共通の痛みと体験を伴い、それがトリガー(引き金)となって環境問題、グローバルサプライチェーン※1の課題、社会の分断などをあちこちで「見える化」しています。

15年に国連サミットで採択されたSDGs(持続可能な開発目標)は、日本においてはこれまで大組織のオジサマたちが襟に着けるバッジのイメージが強くありました。しかし世界的にこの流れを変えたのが、政治や経済の世界では「よそもの」である少女、スウェーデンの環境活動家、グレタ・トゥンベリさんが19年の国連気候行動サミット※2で語った5分間のスピーチでした。

「あなたたちが話しているのは、お金のことや経済発展がいつまでも続くというおとぎ話ばかり。よくもそんなことを！」「（問題解決のための具体的な行動を取らなければ）結果とともに生きなければならない若い世代はあなたたちを許さない」。怒りを込めたその発言は世界各国の若い世代の心を動かし、大きなうねりになりました。

機関投資家も変化し、ＥＳＧ投資※3の重みと認知度も一気に変わりました。投資指標が分かりづらいという指摘はあるものの、未来の環境への貢献など見えない投資まで財務上に反映できる仕組みが構築されつつあります。

そして消費者も同様に変化しています。ＳＤＧｓは、ファッション誌やライフスタイル雑誌の表紙を飾る言葉となり、もはや消費自体のモチベーションがサステナビリティー（持続可能性）抜きに語れない時代になっているのです。

全国に張り巡らされた公共インフラや集権的なエネルギー施策によって、私たちの生活は便利になりました。一方で経済が成熟し、人口減少も進む中でインフラの老朽化問題も取り沙汰されています。また自然災害が増加する中、巨大インフラに代わって災害時にも有用な地域での小規模自然エネルギー設備の検討もあちこちでなされています。

高齢化、過疎化が進むイメージの強かった地域ですが、デジタル環境が整備され、一度行ってみたらむしろ、これまでの考え方でデザインされてきた都市のほうが暮らしづらいと感じる人も出始めています。

ものづくりの世界も一緒です。職人技、伝統工芸は細々と残っているものの、大量生産の時代に小規模のものづくりは非効率と言われ、淘汰されてきました。単価を安く、安定供給するために、農産物も化学肥料や農薬を活用して量産し、等級やサイズでの規格による選別によって、価格が決まってきました。その仕組みに異論を唱える少数の生産者はより腕を磨き、単価の高い作物でダイレクトに顧客とつながりながら、小さく強く生きてきました。

これまでの仕組みは、高度成長で人口が増える日本を効率よく支えてきたことも事実です。しかし、現在の成熟した消費者が求める商品はそこにはなく、価格で使い分けられるようになってしまいました。もの余りの時代と言われますが、「欲しいもの」は存在し、その背景は大きく変わったのです。

日本の労働生産性(就業者1人当たりのGDP)の低さは数字だけを見れば先進7カ国で最下位の水準で、今後上昇させる努力は必要です。しかし、日本人が得意な小規模生産やこだわりを深く追求するものづくりの価値に見合う価格が付けば、数字の労働生産性は一気に高まります。必要なのはマーケットのニーズにつなげられる多様性を持ったチームアライアンス（連携）であり、小規模生産の商品がスムーズに必要とする消費者に届けられる仕組みであり、ものづくりだけの問題ではないと感じます。

小さいからこそできるものづくりは、昔ながらの技術を活用して環境に負荷をかけないサステナブルなものも多く、むしろ今の時代にふさわしいスマートさを兼ね備えています。そこに若い世代や異分野での経験を持つ人が新しさを感じて新規参入し、「よそもの」の感性や考え方が吹き込まれれば、新たな魅力が加わるでしょう。さらにデジタル時代にふさわしい売り方ができれば、今までどこにいるか分からなかった熱烈なファンとつながることもできるようになるのです。

「よそもの」の地域進出は、ダイバーシティーの実現でもあります。19年、学び直しで籍を置いたロンドンの大学院では24人のクラスメートの国籍が12カ国にわたり、年齢もバラバラ。何もかもが違っていて当たり前の世界がそこにはありました。

日本は欧米に比べると人種のダイバーシティーは薄いですが、日本で働く外国人数は19年まで年々増加し、19年10月時点では約１６６万人と過去最高数に。経済はすでに多くの海外労働者で支えられているのが現実です。

ダイバーシティーという言葉は一般化しましたが、性別や国籍、宗教、生活スタイルなどの違いを相互に学び、分かり合おうとする仕組みはこれからなのかもしれません。「よそもの」はいつの時代も、どこの世界でも、既存社会からは一歩距離を置かれてきました。しかし、社会学的に見ても「よそもの」が残した功績は大きく、これまでも多くの学者の研究材料になっています。古くからのものづくりや文化に恵まれた資源豊かな地方が、未来に生き残るシン・チホウとしてこれまでと未来をつなぐことができるか。その分かれ道は、まさに今、「よそもの」との共創にかかっているのです。

この本を手に取ってくださった方々が、自分こそ「よそもの」として行動できると思っていただけたら、本当にうれしいです。

※1　グローバルサプライチェーン…多国間にまたがる生産・流通のネットワーク。

※2　国連気候行動サミット…次の6つの領域で野心的な解決策の策定を図るために、政府、民間セクター、市民社会、地方自治体やその他の国際機関が参集する国際会議。グローバルな再生可能なエネルギーへの移行、持続可能で強じんなインフラと都市、持続可能な農業と森林・海洋の管理、気候変動の影響に対するレジリエンスと適応、官民金融と正味ゼロ・エミッション経済の整合性。

※3　ＥＳＧ投資…従来の財務情報だけでなく、環境（Environment）・社会（Social）・企業統治（Governance）要素も考慮した投資のこと。

「よそもの」が日本を変える 地域のものづくりにチャンスあり——目次

3章 サステナブルが日常に

対談

「小さくても強い農業」の条件

久松農園代表　久松達央氏

6章

「よそもの」が観光も変える

カバー写真／Getty Images

1章

ニューノーマルの世界は10倍速で訪れた近未来の姿にすぎない

3大要素「デジタル化」「多様性」「環境意識」

2020年は、COVID-19によって世界中が大変革の年になりました。これまでの常識やルール、習慣が崩れ、働き方も学び方も暮らし方も激変しています。

しかしアフターコロナは、全く見たことのない新しい世界ではなく、これまで少し遠くに見えていた未来が10倍速で訪れたにすぎないと感じています。それを象徴する3大要素が、(1)デジタル化(2)多様性(3)環境意識。そう、3つともずっと重要だと言われてきながら、対応を後回しにしていた要素。「いずれ、そのうち」と多くの人が遠目で見ていた問題が、いきなり目の前に突き付けられたのです。

1つ目の「デジタル化」は、COVID-19で最も目に見えて急速に変化が進んだ領域ではないでしょうか。世界中でロックダウン(都市封鎖)や自粛生活を強いられる中、買い物はECメインに。米マッキンゼー・アンド・カンパニーのリポートによれば、EC化率が高い米国でも09年の約6%から19年の約16%へと10ポイント上がるまでに10年かかっているのに対し、COVID-19以降、わずか3カ月で約33%まで伸ばしています。

ECにあまり積極的でなかった伝統的な大企業までもが、ECを立ち上げる姿が目立ちました。

またZoom、Teamsなどのビデオ会議システムを活用することで在宅勤務が容易になっただけではなく、ワーケーション※4などの拡大につながりつつあります。オンライン教育も小学校から大学まで一気に進み、オンライン診療も必要に迫られて壁が壊されました。デジタル庁創設が決まり、他の先進国に比べて大きく遅れていたデジタル分野も変わる節目に来ているように思います。

2つ目の「多様性」は生き方や働き方だけでなく、広い意味でのものづくりや消費、住居、そして価値観など多岐にわたって顕在化してきたように感じます。特に働き方に関しては、人生100年時代の中ですでに選択肢が広がり始めていたところに、COVID-19によって世界各国で働き方や働く場が変わりました。

とりわけ日本では、会社そして仕事への意識も含めてそれが急激に進んでいます。働き方の多様化で従来の常識を変えざるを得ない状況がテレワークで見える化されたことは氷山の一角、多くの会社で価値観の地殻変動が起き始めています。

これまでの日本では、残念ながら、上層部がイノベーションを声高に叫びながらも、何のための新規事業か、どのような方向性でイノベーションを推進するのか、どこまでのリスクを覚悟しているのか、そして何より上層部自身が描くイメージを語れないまま号令をかけていたケースは少なくありませんでした。そして、若手と呼ばれる世代が雲をつかむような気持ちになったり、アイデアを出したものの実現に至らず、徒労感を持つ状態になったりすることも多くありました。

大企業の若手中堅社員約50社1200人が集まるONE JAPAN※5も若手中堅のエネルギーをどう世の中に見える化できるかに挑戦している組織です。共同発起人・代表の濱松誠氏は大企業の中での「タテ」の関係だけではなく、社外での「ヨコ」そして上下の年齢の「ナナメ」の関係を構築できるメリットや重要性を説きます。

テレワークで、リバースメンタリング※6の必要性を痛感した上の世代も多かったのではないでしょうか。仕事にも生き方にもそもそも正解はないし、計画通りには進みません。そんな中、個人の気持ちのレジリエンス(耐性・回復力)がより求められるようになっているのではないでしょうか。

さらに情報の取得に距離や時間、コストの格差がなくなった現代、メディアという情報伝達のプロだけでなく、個々人が受信も発信も行えるツールを持ち、玉石混交の情報があふれかえっています。米国の黒人差別の映像に象徴されるように、現実を捉えた視覚の情報力は巨大で、小さく動き出していた一つ一つのことが瞬く間に大きなうねりになります。従来の価値観が小さなきっかけで簡単に変化し、個々人の生き方にも影響が広がっているのです。

3つ目の「環境意識」は、パンデミックの中、全世界共通して取り組む最大課題という認識がより強くなったと感じています。これまでも地球温暖化などの視点から必要性が叫ばれてきましたが、COVID-19以降はより身近な企業経営に関わる課題につながっています。環境問題に対する意識の高さは消費者が商品やサービスを選ぶ際の重要な要素となり、企業業績とより密接に関わり始めています。

現在世界で3000兆円といわれるESG投資の流れがより強まり、企業成長の指標も売り上げや利益という従来の数字の比較だけではなく、未来への無形資産や可能性までが評価されるように変わり始めました。

またCOVID-19流行後の自粛生活によって家庭ごみや電力量が増加した影響か、個人レベルでも環境意識が高まっているというデータもあります。公益財団法人旭硝子財団が20年8月に実施した「第1回日本人の環境危機意識調査」では、「環境問題への意識や行動に前向きな変化があった」が約4割。食品ロス削減や省エネなど、生活全般で意識や行動が高まったという結果が出ています。そうした意識の変化は地域の1次産業にも影響を与え、規格外として廃棄されてきた大量の農産物に新たな価値を見いだし、流通に乗せる動きも高まっています。

「What if?」という自問自答が必要

一橋大学の石倉洋子名誉教授は20年3月以降、自身のウェブサイトで自分に対しての問いかけとして「What if?（もし何か起きたらどうする？）」の重要性を何度も書いておられ、とても共感しました。ニューノーマルは決して新しいものだらけの世界ではありません。いつか来ると分かっていたいくつものことが重なって急激な速さで到来し、そこに身体と頭がまだついていけていないだけだと私は感じます。

20年春、私が滞在していた英国では、2月の「日本は大変だね。東京五輪・パラリンピックは大丈夫？」と言っていたのんびりした空気感から一変。3月上旬にはイタリアから始まった緊張感が欧州全体に拡大。同月下旬にはボリス・ジョンソン首相もチャールズ皇太子も感染し、ロンドンでもロックダウンがスタートしました。個人以上に国も政治も企業も、世界中同じような「現実についていけていない」状態となり、これまでの穏やかで紳士的だった街の空気感が、アジア人の私がマスクをしているだけで危険を感じる空気に急激に変わりました。

そんな中で一番大切なことは「What if?」という自分への問いかけであり、そこからの行動が未来につながる一歩だと私は感じています。

人生で一番多くの時間を費やす「仕事」。私たちはもはや、都市でのオフィスワークに縛られずとも、どこでも仕事ができる自由を手に入れつつあるのかもしれません。そもそも私たちが、東京（大都市）に住みたい、住まなくてはいけない理由は何でしょう。今までと同じ働き方をしなければいけない理由は何でしょう。私たちは何のために働いているのでしょうか。

私はCOVID-19を機にこうした根本的な疑問を抱く人が増え、後述する「ワークライフインテグレーション」といわれる、自らの人生観を軸に「仕事」と「生き方」を柔軟に統合して充実を求める方向に人々がより向かうのではないかと感じています。自分の五感が心地よいと感じるものは何でしょうか。自分の内側にしか答えは存在しません。自分の寿命は分からないのだから、自分の好きなことを発見して人生を楽しむのに遅すぎることも早すぎることもありません。

COVID－19で右往左往する人間をよそ目に、世界中で生き生きとよみがえった自然の写真をネットで多く目にしました。留学中にロンドンで机を並べたインド人のクラスメートは「空気がきれいになると私の町はこんなにきれいだったんだ」と実家から送られた写真を見せながら、チャットで語っていました。私たちがCOVID－19以降により強く意識するようになったのは、自然が常に変化するパートナーであることです。そして私は、アフターコロナの世界で幸せに生きるポイントが、その自然と共に生きる「地域」にあると考えています。

※4　ワーケーション…「ワーク」と「バケーション」を合わせた造語。テレワークを活用し、職場や居住地から離れた観光地などで余暇を楽しみつつ、仕事を行うこと。

※5　ONE JAPAN…新規事業、イノベーションや新しい働き方や組織開発について実践、共有、協働していく大企業の20～30代を中心とした有志団体。

※6 リバースメンタリング…若手がシニアの先生役になること。リバースメンタリングのリバースは「逆」を意味し、伝統的なメンター制度が知識・経験が豊富なシニアが先生役となって若手に助言するのに対し、その逆の関係を作ることによってヒエラルキーに依存せずに互いに学び合うことができる。

2章

仕事と生き方は融合

「地域」が都市生活者の働く場に

ポテンシャルがありながらも人口減少で疲弊していた地域が、コロナ禍の影響で人が動き出すことによって変わりつつあります。

その一つが「ワーケーション」です。ワークとバケーションを組み合わせた言葉ですが、2019年11月に65自治体がワーケーション自治体協議会を設立。21年2月22日時点で170（1道20県149市町村）の自治体が参加するなど一気に広がっていますが、ワーケーションという言葉が広く知られるようになったのは、20年春の自粛期間あたりからではないでしょうか。

ノマドワーカー※7や経営者のようなセレブな人たちだけの特別な働き方というイメージから、テレワーク化した親がオンライン教育に切り替わった子供たちを引き連れて行うような、日常の延長としてのワーケーションも増えてきました。

また、「ADDress（アドレス）」「HafH（ハフ）」といった登録拠点ならどこでも住めるサブスクリプション※8型の多拠点居住シェアサービス、移住したい人と地域のマッチングサービス「SMOUT（スマウト）」など、ワーケーションに使えるサービスも一気に増え、充実してきています。さらにJTBやANA、三菱地所などの大企業もワーケーション市場に参入。個人向けから法人向けまでさまざまで、滞在スタイルも多種多様に広がってきています。

このワーケーションに加え、都心のオフィスを縮小して地域拠点を増やす企業も増加。兵庫県の淡路島に本社機能を移すことを決めたパソナグループの記事はトップニュースになりましたが、分散型オフィスの流れも今後続くのではないでしょうか。

人口には、観光旅行に訪れる「交流人口」、地域や地域の人々と多様に関わる「関係人口」、そしてその地域に定住する「定住人口」の3つがあります。これまで自治体は定住人口を増やすことに力を入れてきました。しかし定住となると、時間も覚悟も必要です。

現在増加しているワーケーションは関係人口に当たりますが、旅行という一過性のスタイルではなく、仕事をしながら生活するスタイルはその土地を知る第一歩になります。町が活気づくのは生活する人がいるから。そして満足度が高ければ、一部が関係人口から定住人口になることが想定され、そこまで行けば大きな変化につながります。

ワーケーションに必要なのは「数種類の環境」

ただ、どの地域にとってもワーケーションがチャンスというわけではありません。移住に対して手厚くても関係人口への関心はまだクールなところが大半で、地域差が歴然と出ています。

ワーケーションの誘致に積極的な地域は、まず施設や環境を整えています。とりわけデジタル環境は不可欠。そして何カ所か行くと分かりますが、ワーケーションしやすい地域には同じような境遇の仲間、すでに関係人口から定住人口になった先輩たちがいて、コミュニティーに困らないのです。

私がワーケーションを経験した中で重要だと感じたのは「数種類の環境」です。一番は仕事環境。当然のＷｉ‐Ｆｉ環境に加え、集中できる空間、仕事に適した椅子やテーブル、ビデオミーティングできるスペースやプリンター、コピーなどの事務設備。よくイメージ写真でビーチサイドや森の木陰でＰＣを操作している写真がありますが、日差しなどを考えたら現実的ではありません。

次に、人のもたらす環境。受け入れる体制が整っているところはすぐに仕事に取り組めますし、何でもすぐに聞けるのは安心感につながります。ささいなことですが、1週間いるなら、日用品が買える場所や営業時間など仕事に関係ないことも気軽に聞けたり、使える行政サービスを教えてもらえたりするのはありがたいです。

そして宿泊環境。私は長期間の経験がありませんが、プライベートな空間や生活できる快適さは仕事にも影響すると感じました。ワーケーションに興味がある方は、まず評判の良い地域に1泊でも行ってみることをお勧めします。行く前の不安があっという間に払拭されるのではないでしょうか。

19年にスタートした私の会社「ONE・GLOCAL」には現在5人のメンバーがいますが、全員メインの仕事を他に持っています。その1人、30歳のYさんは東京の大企業で働いていましたが、2拠点居住に憧れがあり、19年に長野県塩尻市に移住。現在、東京と地元での仕事を掛け持ちし、毎月一定期間は東京で打ち合わせや業務をこなしています。

当初は塩尻市が一番の候補ではありませんでしたが、現地を訪れ、先に移住した人たちから聞いた話と行政の手厚いサービスに引かれ、移住を決めたそうです。旦那さんも同じような生活ですれ違いも多いようですが、子供ができたときのことも、子連れで2拠点生活をしている諸先輩にリサーチ済み。Yさんいわく、大企業時代より年収は下がったものの、食費や住居費などの生活コストが大きく下がっており、生活水準は全く下がらないどころか特に余暇面で豊かになっているとのことでした。

学校については現行の教育制度では2つの学校に籍を置くことが認められていないことを理由に、出席日数の通算を認めないところも多いのが現状。徳島県が実施しているデュアルスクール※9は「区域外就学制度」を活用し、都市部に住民票を置いたまま出席を通算できます。今後オンライン教育での出席が今以上に認められるようになれば、こういった試みはよりやりやすくなるかもしれません。働き方の変化やデジタル化の推進はリアルのさまざまな分野にも影響を及ぼしそうだと感じています。

田舎暮らしの課題は「足」

このワーケーションの課題について、自らも実践している元ビジネスインサイダージャパン統括編集長の浜田敬子氏は「足」だといいます。ワーケーションに参加したくても免許を持っていない人が多く、体験ツアーで現地に到着すると、早速「足」の問題が出てくる。買い物にしても鉄道駅まで行くにしても。そしてそれは若い世代により顕著だといいます。

私自身も地域を回る仕事上クルマがなくては全く動けない場所が多く、必要性を痛感する一人です。ならば駅近や空港アクセスの良い場所でのワーケーションを、という発想もあるでしょう。しかしながら、せっかく魅力ある地域を楽しめるチャンスを、行動範囲が制限されることだけでみすみす逃してしまうのはもったいない。

ただ、自分でクルマを運転できないと生活に不便が生じる「田舎あるある」はやはりハードルです。都心で暮らす大きなメリットの一つが、公共交通機関やタクシーなどの利便性。この課題は高齢化著しい地域ではすでに顕在化しています。

茨城県境町では20年11月、日本で初めて公道での小型自動運転バスの定時運行を始めています。スピードはゆっくりで、後にクルマが何台か来ると路肩で待機して追い越させます。運転席のない車内は広々。ここに至るまでに多くのハードルがあったと聞きましたが、こういった取り組みが広がると、間違いなく住民にもワーケーションなどで来る人々にも便利だと実感しました。ワーケーションのような長期滞在もしくは何度も短期滞在してくれる人たちは、地域にしっかりお金を落としてくれるお客様でもあるのです。

副業解禁も地域産業を活性化

働き方の変化はワーケーションだけにとどまりません。企業の副業解禁の動きもコロナ禍で加速しており、これまでは配偶者の転勤や海外留学などの特別な理由がないと認定されなかった一時休職の制度も、もっと広がるかもしれません。ANAホールディングスが21年春に400人以上の社員をグループ外に出向させるというニュースが大きく取り上げられ、自治体や各種企業が受け入れに続々と手を挙げる報道も後日続きました。

スキンケアや目薬を主力に、農業や再生医療事業なども手掛けるロート製薬では16年2月から、兼業を後押しする「社外チャレンジワーク制度」を導入しています。薬剤師や大学のキャリアセンター、クラフトビールづくりなど副業先はさまざまですが、同社は

「本業への支障はなく、むしろ相乗効果が出ている。個人の自立が会社の成長につながる」という考えで、今後も拡大していくそうです。

企業が認めている副業のタイプは2つに分かれます。1つ目は本業をしっかりやり、その他の時間で自分の人脈を広げたり経験を積んだりするために認める副業。2つ目は副業をもう一つの仕事と捉え、現在の仕事とのバランスを考えて認める方向。前者は給料の減額はありませんが、後者はケース・バイ・ケースです。どちらも共通するのは副業先や仕事内容、条件、ボリュームを申請することでしょうか。

弊社のメンバーに大手IT企業の正社員Tさんがいます。彼女は管理職で本業はフルにやっているので、基本的に打ち合わせは平日夜か土日。10人ほどの部下を統率し、保育園に通う子供もいて大変忙しそうですが、スピーディーかつしっかりと仕事をこなしてくれます。Tさんの会社も副業に申請が必要ですが、農業や地域産業に関わる副業は許可が早く、会社の視線も温かく、社内のエンジニアにもこの分野に興味を持っている人が多いとのことです。

弊社に参加してくれた理由をTさんに聞いたところ、1つ目は私への関心、2つ目が地方創生への関心とのことでした。「もともと日本の地域産業に興味があり、その個性を生かし切れていないところをなんとかできないかと思っていた。ＩＴ業界では出会えない分野の人と交流でき、農業や加工を含めた食全般へのネットワークにつながる楽しさがある」と話しています。

東京の大手企業で働くビジネスパーソンが地域の1次産業に関わり、地元の人々と協働して日本の地域産業の個性を磨き上げていく――。アフターコロナの世界でイノベーションを起こすシン・チホウの誕生を予感しています。

仕事と生き方が融合　ワークライフインテグレーションのすすめ

コロナ禍で世界が一気に変化した20年、多くの人は「会社（仕事）中心」という従来の価値基準と正面から向き合うことを余儀なくされました。その結果、より柔軟な働き方・生き方を求める人は確実に増加し、その動きを察知した企業は制度だけでなく会社の在り方も変えてきています。

ニューノーマルの世界では多くの人がこれまでの仕事の枠組みから解放されます。それによって多くの選択肢が見えるようになる人と、選択肢がより一層狭められてしまったと感じる人の二極化が進むように思います。その違いを生み出すものは何でしょう。また、金銭的な処遇や肩書以上に企業の価値観が重視され、透明性がより高まる時代に、企業に求められることは何でしょうか。

長い間、私生活を犠牲にして会社に尽くすことが求められていた日本でも、会社中心人生からの転換が提唱されるようになりました。07年には内閣府が「仕事と生活の調和（ワークライフバランス）憲章」を発表。ワーク（仕事）とライフ（私生活）のバランスを取る考え方が示され、一般に広まっていったのです。この憲章の背景には、女性の社会進出や少子高齢化が進み、社会構造が大きく変化しているにもかかわらず、働き方や男女格差などが変わらないという現実がありました。

そんな中、私は「仕事と私生活は必ずしも対立軸ではないのでは」と思い続けてきました。人生トータルでのワークライフバランスはあっても、常にバランスを考えながら仕事はできないと感じていたからです。

仕事もライフイベントも計画通りにはいきません。子供を産んだ直後は子育て中心の生活にならざるを得ませんし、家庭に何かが起これればそちらに比重は傾きます。仕事も相手やタイミングというものが必ずあります。常にバランスを取ろうとして仕事を調整すれば、チャンスを見逃すことにもつながります。ですから、バランスにとらわれることなく、その時々で常に全力で目の前のことに取り組むべきだと感じていました。

その点で、私の理想により近いと感じたのが、08年の経済同友会による提言「21世紀の新しい働き方『ワーク&ライフインテグレーション』を目指して」でした。ワーク&ライフインテグレーション（以下、ワークライフインテグレーション）とは、仕事もプライベートも人生の一部であり、例えば仕事が充実しているときにはプライベートも充実するといったような、双方がリンクし合うことで良い相乗効果を生み、人生の充実感・幸福感を得るという考え方です。特に「そもそも仕事と私生活、職場と家庭は二者択一のものなのか、優先順位がつけられるものなのか」という課題意識は、私の中でストンと腹落ちしました。

折からのCOVID-19で仕事における産業シフトが全世界で起こり、職業訓練を含めた勉強の機会の重要性が各国で言われています。「キャリアをどうしよう」と考えるのではなく、もっとシンプルに「どう生きたいか」を考えてはいかがでしょうか。「どう生きたいか」に沿って「自分のできること」を考えると、自然に時間や仕事のバランスが見えてきます。ワークライフインテグレーションの時代には、兼業や副業がそういったトライをする場にもなると思います。

人生100年時代の学び方、働き方

16年に発売されたリンダ・グラットン氏とアンドリュー・スコット氏の『ライフ・シフト』はベストセラーになりました。「教育→仕事→引退」という会社員の当たり前の人生や有形無形の人生の資産の生かし方を提示しながら、長寿化で100年時代における生き方に自問自答を与えてくれたのです。

そして、この中で「選択肢をもっておくことは、若者時代だけでなく、人生のあらゆる時期に重要だ。マルチステージの人生を生きる人にとっては、その重要性がとりわけ大きい。選択肢に投資し、選択肢を残すことは、人生計画の欠かせない一部になる」と語ります。

そして昨今は「リカレント教育※10」やリバースメンタリングという言葉もよく聞くよ

うになりました。生涯教育の流れも含む日本のリカレント教育は、１９７０年ごろから言われていましたが、近年そのニーズは高まり、受講者も増えています。時代と共にニーズが変わるスキルではなく、リベラルアーツ※11 のような思考力を養う学びの人気が高まっているのです。

リバースメンタリングについては、私も会社員時代から必要性を実感していました。世代によってマーケットを読む感覚は異なります。特にデジタル化の進む現在では、このリバースメンタリングがスムーズにできる企業ほどマーケットにも敏感になり、業務も進むように思います。ただし、そのためには組織のあり方も従来とは異なってくるでしょう。

働く「場」だけ変えても効率が悪くなり、ストレスに

コロナ禍により、通勤が前提だった働き方は一気に変わりました。住む場所を選択するポイントが通勤ではなくなるというのは、大きな変化です。テレワークやワーケーシ

ョンが進む中、都心のオフィスの役割や企業の人事評価基準も変わりつつあります。働く場だけではなく、副業も含めて企業の制度が柔軟になることは、取りも直さず働く社員の思考や経験の多様性が求められていることの反映でもあります。こうした変化に対し、「仕事以外にもっといろいろな経験を積まなければ、会社も自分も今の場所に安住できないのでは」という不安を抱く人も多いかもしれません。

実は仕事以外の経験を、自分の仕事の幅を広げるのに役立てようという動きは以前からありました。しかし19年までは、会社に迷惑をかけず自分の時間でなんとかすべきだという考えが一般的でした。

覚えていますでしょうか。20年に予定されていた東京五輪・パラリンピックのボランティアでは8万人の募集に対し、20万人の応募がありました。クラウドファンディングの盛り上がりもしかりです。自分が参加することで誰かの役に立ちたいと考えている人は増加し続けているのです。そして、ニューノーマルの中での働く場の選択肢が増えることや副業の解禁は、学びへのチャンスでもあります。

ただし気を付けたいのは、働く場が変わるテレワークやワーケーションがそのまま、ワークライフインテグレーションになるわけではない、ということです。場を移しただけだと、逆に生活の中の用事や環境の変化で仕事の効率が悪くなり、それがストレスになることもあります。ワークライフインテグレーションを実現するには、場だけではなく、生活全体を変える必要があるのです。

そのときに最も重要となるのは、「どんな生き方をしたいか」「どんな働き方をしたいか」という自分の考えであり、双方を融合させることです。

仕事と生き方の融合に成功したブルネロ・クチネリと群言堂

仕事と生き方を融合させる――。そう聞いても別世界のことのように感じるかもしれません。それを実現させた企業の例を紹介しましょう。

「ブルネロ・クチネリ」というブランドをご存じでしょうか。カシミヤを主力とするイタリアのラグジュアリーブランドで、人間主義的資本主義を経営哲学とする企業姿勢が有名です。創業は1978年ですが、85年にニット産業が盛んだったイタリア中部のソロメオ村に本社を移転。荒れていた田舎町がよみがえり、歴史ある村の古い町並みや風光明媚（めいび）な田園風景が再び広がるようになりました。小さな村に地元住民も楽しめる劇場、職人技が学べるアカデミーや図書館も備わりました。職人の給料も高く、会社のPRビデオからは働く人たちの仕事への誇りが伝わってきます。

そのような事例は日本でもいくつもあります。例えば島根県の石見銀山にある「群言堂」もその一つ。松場大吉氏（石見銀山　群言堂グループ会長）・登美氏（石見銀山生活文化研究所所長）夫妻は、「美しい日本の暮らしを未来に伝えたい」という思いから、日本の素材や古くからの知恵を生かした商品を展開。人口約400人という山深い限界集落に本店を構え、複数のアパレルブランドを中心に、雑貨や食品も扱うライフスタイルショップを展開しています。

同時に古民家の再生にも取り組み、江戸時代の古民家を13年かけて改修。暮らす宿「他郷阿部家」としてよみがえらせました。足を踏み入れると家のあちこちに生けられている野の花、使い続けられている家具や料理道具、天井高のある空間に癒やされ、ここに住んでいるかのような錯覚に陥ります。かまどで炊かれるごはん、豊かな地元の海山の幸、風呂は和ろうそくと薪（まき）ストーブの優しい明かりだけ。夜、外に出れば満天の星。そんな世界観に魅せられた海外からのファンも多く、予約がなかなか取れません。

過疎が進む町にありながら、ここで働きたいと希望してくる人は20代や30代が多いといいます。

この2つの例は、国は異なってもどちらも「仕事と生き方の融合」に通じていると感じます。仕事かプライベートかの二者択一ではなく、そのバランスでもなく、まさにワークライフインテグレーション。自らの人生観を軸にワークとライフを柔軟に設計し、双方を充実させようとしています。

彼らの働く場の会話から感じることができるのは、オーナーだろうが新人だろうが関係なく、同じ志を持って仕事を選び、働く場に恵まれたという幸せと充実感です。こうした例を見ると、「自分はどうしたいのか」という内面の声に耳を傾け、仕事と生き方を融合させることのイメージが明確になると思います。それができたとき、素晴らしい循環が起こるでしょうし、そこから得られるものはあなたの人生をより豊かに、幸福にしてくれるのではないでしょうか。

※7　ノマドワーカー…パソコンやタブレットなどを使用し、会社のオフィス以外のさまざまな場所で働く人のこと。

※8 サブスクリプション…一定期間利用できる定額課金型サービス。

※9 デュアルスクール…徳島県が実施している制度。住民票を異動させることなく、都市圏の小中学生が徳島県内の公立小中学校で学ぶことができる。

※10 リカレント教育…義務教育や高等教育を終えた社会人が、新たなスキルや教養を身につけるために学び直すこと。リカレント(recurrent)は「回帰性の」「循環する」といった意味を持つ。

※11 リベラルアーツ…教養。ギリシャ・ローマ時代の「自由7科」(文法、修辞、弁証、算術、幾何、天文、音楽)に起源を持つ。理系と文系に分かれた専門教育に対し、さまざまな要因が絡み合う現代社会の問題に対応するためにニーズが高まっている。

江戸時代の古民家を13年かけて改修した、暮らす宿「他郷阿部家」

3章

サステナブルが日常に

プラネタリー・バウンダリー（地球の限界）

プラネタリー・バウンダリー（地球の限界）は、2015年に国連で採択されたSDGsの基礎となった概念です。環境学者ヨハン・ロックストローム氏らによって09年に提唱されたこの概念は、人間の安定的な生存に向けた9つの項目（気候変動、生物多様性の損失、土地利用の変化、窒素とリンの循環、海洋酸性化、淡水消費量の増大、オゾン層の破壊、大気エアロゾルの負荷、化学物質による汚染）の限界値を計測して可視化しようとしました。

今地球が直面していることとして、人間活動の巨大な圧力で「完新世（Holocene）※12」が終わり、「人新世（Anthropocene）※13」が始まったと言われています。人新世は産業革命以降の工業・農業の発展、とりわけ1950年代以降の経済活動の爆発的な加速で人が地球を大きく変えてしまう地質時代のことで、これまでの地球の安定状態が失われつつあるというのです。

さらに経済・ビジネスが膨大な生態系サービスの上に成り立っている現実への警告も

発しています。

ロックストローム氏らの著書『小さな地球の大きな世界』では「生態系の豊かさと地球の安定性が生む回復力のお陰で、飢えをなくし経済成長を確保するという人類のニーズや希望が達成されるのだ。逆に、多くの要素を連携させられず、安定した生態系や回復力が確保されなければ、経済発展は期待できない」と説いています。

2020年9月に発刊されてベストセラーになっている『人新世の「資本論」』(斎藤幸平著)では斎藤氏の考えと同時に経済学者の理論や分析も詳しく書かれていて、興味深い内容になっています。そしてこの本が版を重ねていることからも、ビジネスパーソンの経済と環境問題への関心がこれまで以上に高まってきているように感じます。

この分野での世界における日本の動きの遅れは否めません。さらに残念なのは、技術レベルは世界に先駆けているものが少なくなく、小規模での農畜産物生産者にはこの視点で先行している人たちもかなり多いのに、規制や既存の仕組みの中で縛られている現実です。近年は特区など部分的に緩和できるところからのトライも少なくありませんが、それでも時間や工数はかかります。

日本の小惑星探査機「はやぶさ2」の帰還は多くの国民の興味を宇宙に引きつけまし

た。成功後、壮大な夢や、実験研究の背後にあった日本の町工場の技術や細やかな手仕事の技も公になり、日本人であることを誇らしく思われた方も多かったのではないでしょうか。

環境意識が高まっているのは、先進国だけではありません。18年春にフィリピンのボラカイ島は環境を回復させるために約半年間、島を閉鎖しました。年間約200万人が訪れる観光で有名な島ですが、ホテルや飲食店の増加で海や砂浜が汚染され、ドゥテルテ大統領は「汚水だめ」と発言。排水施設の整備や違法建築物の撤去、再開後の観光客制限、公共の場所での喫煙の禁止などに取り組み、今後も環境対策を続けるといいます。環境こそ資源と気づき、それを守らなければビジネスが続けられないことを世界に知らせてくれた出来事だと感じました。

もう一つ、WWF（世界自然保護基金）が出している数字の中に、各国が今の生活レベルを維持するには地球何個分のエネルギーを使用するかというものがあります。ベースになっている指標は「エコロジカル・フットプリント」というもので、人類が環境にかけている負荷を、木材などを生産している森林や、魚介類などをもたらす漁場、耕作地、牧草地といった土地の面積に置き換えたものと定義されています。経済で言えば収入より支出が多い状態で、そこは物言わぬ地球の自然環境からの搾取（借金）と言えます。

興味深いのはこれを日本の都道府県別に当てはめた数字も出ていること。ここでの指標は食、住居・光熱費、交通、サービス・財で、都道府県によってその指標の高低はありますが、トータルでトップは東京都。一番低かったのは山梨県で、東京は全国平均より約10％高くなっています。都市での人口集中は環境負荷も高いのです。

廃棄素材×テクノロジー×デザイン＝新しい価値

サーキュラーエコノミー（循環経済）の大きな波をより実感したのは、19年から20年にかけて英ロンドンのＲＣＡ（ロイヤル・カレッジ・オブ・アート）※14に短期留学していたとき。ＬＣＣ（格安航空会社）のチケットを使って弾丸で往復し、ドイツのハイムテキスタイルやフランスのプルミエール・ヴィジョン・パリなどの世界的な見本市を見に行ったときでした。

大学を卒業してＪＲ東日本に入社した後、「小売りを現場で学びたい」と上司に掛け合い、2年ほど大手百貨店に出向させてもらいました。出向先の百貨店で婦人服売り場の販売をしていたころから、その見本市は一度行ってみたい憧れの場所だったのです。しかしサラリーマン生活では中途半端な時期に長期休暇を取ることは難しく、1泊2日で行けるこの機会にと足を運びました。

ファッションブランドに以前の勢いはないにせよ、世界60～70カ国、約2000～3000社のマテリアルメーカーが集まる見本市は業種を超えた多くの来場者でにぎわっていました。バイヤーは従来のアパレルブランドから変わって、家具やカーデザインを含めた生活全般に広がっていたのは印象的でした。

さらに見本市自体がサステナブルをテーマの一つに置いていただけでなく、そこから踏み込んでサーキュラーエコノミーを明確に打ち出したブースに人が集まっている傾向が顕著でした。

数えきれないほどブースがある中でとりわけ入場者の関心が高く、にぎわっていたのが「レザー」。そこでは従来の動物由来の商品を展示するスペースはほんのわずかで、大半が「ビーガンレザー」と銘打ったフェイクレザーの出展者でした。

イタリアの会社がシチリア島でとれるオレンジの皮を天然素材として活用したり、スイスの会社がバナナの皮で生地を作ったり。ココナツの皮がレザーっぽく加工され、スパの備品やカーデザインに使用されたりもしていました。ドイツメーカーのフェイクレザーはあまりに素敵な質感に触って驚いたのですが、間伐材から作られており、すでに有名な高級車の内装に使用されているとのこと。「廃棄素材×テクノロジー×デザイン＝新しい価値」という構造が生活全般にもっと入り込む予感がしました。

ある繊維製品は製造段階で従来の10分の1しか水を使わず、自然への負荷が少ないことを数値化してセールスポイントとしてPRしていました。素材を作る側も自然破壊を防ぐ責任を持ち、使う側もその責任を継承しているわけです。そういうことをはっきり打ち出している製品のブースに、人々が興味を持って集まっている。コロナ禍が拡大する前でしたが、「面白い時代になったな」と感じました。

RCAの卒業生でもあるカルメン・ヒホサ博士の立ち上げた「ピニャテックス」は廃棄されるフィリピンのパイナップルの葉を利用してフェイクレザーを作っています。固い葉の部分から繊維を取り出して個性的なフェイクレザーに加工していますが、そのルーツはフィリピンの伝統工芸にありました。

祝いの場の衣装として使われてきた高価で手間のかかる素材は扱いやすく低コストの

大量生産素材の登場で廃れていましたが、彼女は個性ある素材にテクノロジーを加えて復活させたのです。

加工はフィリピンで行い、最終工程のコーティングなどはスペインで行っているということですが、ここでも加工の工程で水をほんのわずかしか使わないこともバイヤーの評価が高いポイントです。独特の質感にサステナブルなストーリーが重なり、シャネルやヒューゴ・ボスなどのハイブランドの服飾やアパレル、シューズ、さらにはクルマの内装にまで顧客が広がっています。

地元フィリピンでは農家の所得向上や雇用にもつながり、労働環境を含めたサステナブルな循環になっています。博士の「よそもの」ならではの視点が生かされているのです。

「Cradle to Cradle（ゆりかごからゆりかごへ）」の精神

さらに気になったのは、人気のブースには共通して「Cradle to Cradle（ゆりかごからゆりかごへ）」のマークが掲げられていたことでした。

これはドイツの化学者と米国の建築家が提唱したもの。サーキュラーエコノミーのベースになる考え方として用いられています。「生産→使用→廃棄」という従来の直線的な製品サイクルではなく、「生産→使用→生産」という循環型のものづくりを提唱しているのが特徴と言えます。

Cradle to Cradleの認証を行っているThe Cradle to Cradle Products Innovation Instituteでは5つのカテゴリー基準を設けていて、カテゴリーごとに達成レベルが分かれています。

・材料の健全性（Material Health）
・原料・部品が再利用できること（Material Reutilization）
・再生利用エネルギーの利用とカーボンマネジメント（Renewable Energy & Carbon Management）
・水スチュワードシップ（Water Stewardship）
・社会的な公正さ（Social Fairness）

まず始めにメーカーの姿勢への共感があり、そのうえで商材のデザインや品質に引かれて商談になっていくという、これまでとは逆のサイクルが回り始めていることを多くのブースで感じました。それは取りも直さず、消費者ニーズの変化によってビジネスのルールチェンジがすでに進んでいることを肌で感じた現場でした。

ルールチェンジがもたらす新しいマーケット

環境課題に対しては、世界中のプレーヤーが一気に動き始めてルールチェンジが起こっています。

世界銀行※15 グループは19年以降、原油・ガスの上流事業への投融資停止を表明しており、バイデン米大統領は温暖化対策の国際的枠組み「パリ協定」に復帰しました。日本でも政府が50年までに温暖化ガス排出量をゼロにする「カーボンニュートラル」を目指すと宣言しました。脱炭素に向け、世界中で数値目標が掲げられています。

EU（欧州連合）は20年に域内の再生可能エネルギーによる発電量が初めて化石燃料を

上回りました。環境意識が高いことで知られるオランダでは、九州ほどの大きさの国土に約3万4000キロメートルの自転車レーンが整備されているそうです。ロンドンでも道路脇のあちこちに電気自動車の充電スタンドがあって手軽に充電できるなど、電気自動車のインフラは日本よりはるかに進んでいます。

海外でもう一つ便利だったのが、電動スクーター。免許なしでアプリですぐ使え、旅行者にとっても貴重な移動ツールです。欧州のいくつもの国で利用しましたが、とりわけありがたさを痛感したのが20年1月、ストライキ中のパリに行ったとき。メトロも鉄道も止まり、バスも減り、タクシーは満車ばかりで、電動スクーターなしに移動は不可能でした。

このスクーター街じゅうのあちこちにあって、乗り捨て可能。GPS（全地球測位システム）で位置と電気量を確認して管理していると聞きました。

例えば、「○年までに○カ所のスタンドを配備する」という数値目標も必要かもしれませんが、それ以上に日常生活の中での手軽さが普及には大切だと感じます。

社会の課題解決にビジネスチャンスがあり、SDGsはそれが詰まっているものだと言われます。多くの企業がCSR（企業の社会的責任）活動を進めてきましたが、これまでと大きく異なるのは、そうした活動を自社の本業に組み込んでいかないといけないこと。アップルやグーグルが再生可能エネルギー１００％に向けていち早く取り組み始めたのも、そうした動きの一つといえるでしょう。

日本のサーキュラーエコノミーはブルーオーシャン

身近な日本の日常に視点を戻すとどうでしょうか。

「もったいない」という文化を持つ日本はサステナブルな感覚が他国以上に強く、サーキュラーエコノミーが一気に進む可能性を秘めています。無駄に捨てられている資源が可視化されれば、なんとかしなければという発想が生まれやすいのではないでしょうか。

例えば、農産地では果実に少しでも傷がついただけでジュースやジャム用として二束三文で売ってしまっていますし、摘果（余分な果実を摘み取ること）された果物は最初から捨てるものとして考えられています。そんな当たり前の光景を改めて意識することで、「何かに使えないかな」という発想になります。

青森県弘前市にある「もりやま園」では摘果するリンゴの活用とその素材の栄養素に着目し、個性的な「テキカカシードル」を開発しました。栃木県那須町の新しいお土産「バターのいとこ」は、バターを作る際に出る無脂肪乳を活用したお菓子です。牛乳からバターは約5％、残りの9割以上の無脂肪乳が脱脂粉乳として安く販売されているところに目を付けて商品化されました。いずれの商品も「もったいない」を超えた地域商品として大人気です。

包装資材でも、昔は経木（きょうぎ）と呼ばれるスギやヒノキを薄く削ったものに殺菌効果があり、弁当や食品を包むのに使われていました。竹の皮や柿、笹の葉もそうです。

イノベーションというと新しい技術に目が行きがちですが、日本に古くからある知恵を異なる用途や文化の視点から見つめ直すことでも新しい産業につながることがあるかもしれません。そういった意味でも、都市で生活するビジネスパーソンが地域の1次産業に「よそもの」として加わることで、サーキュラーエコノミーへの大きな転換が生まれる可能性があります。

日本のサーキュラーエコノミーのマーケットはまだまだ手付かずで、大きなポテンシャルを秘めているブルーオーシャンだと私は見ています。

世界的な「アニマルウェルフェア」の動き

「アニマルウェルフェア（動物福祉）」という言葉も新聞紙面やSDGsの中で語られることが多くなり、ここ数年で一気に市民権を得てきている感があります。日本も加盟する国際獣疫事務局（OIE）によれば、アニマルウェルフェアとは、「動物の生活とその死に関わる環境と関連する動物の身体的・心的状態」と定義されています。

しかし日本が、アニマルウェルフェアの後進国であることは、ほとんど知られていません。私自身、その現実に対する知識が乏しかったことを痛感すると同時に、世界基準とあまりに乖離（かいり）している日本の現状にも驚いたのは、私も所属する東京五輪・パラリンピックの専門委員会での議論の場でした。

同大会の委員会の組織の中には「街づくり・持続可能性委員会」という部会があります。その委員会ではさまざまなことが議論されていますが、その一つが「調達コード」（同大会を持続可能性に配慮した大会とするため、調達に関与する事業者に対して求めている基準）に基づく選手村での食料の調達で、最も危惧されたのがアニマルウェルフェアの問題でした。世界では当たり前に調達できる基準を満たしている食材が、日本ではほとんど満足に調達できないことを知り、大変驚きました。

調達コードにはその生産背景からサプライチェーンまで、環境に配慮した多くの基準が定められ、大会によっても異なります。五輪・パラリンピックを通じ、日本の多くの人たちが日常の食とその履歴に興味を持ってくれるのではないかと感じています。

「エシカルこそラグジュアリー」の時代

ファッション業界はこれまでも、売れ残りを前提とした生産体制などの構造が指摘されてきました。そのような中、18年にバーバリーが約42億円相当の売れ残り商品を廃棄したことが報じられ、それが瞬く間にSNSで世界中に拡散。不買運動にまで発展しました。

ブランド価値を毀損しないためのこのような行為はこれまでもよく行われてきましたが、消費者の意識が変わってきました。フランスでは23年からの衣料品の在庫などの廃棄禁止がすでに法律で決められるなど、取り巻く環境も厳しくなっています。

一方、衣料や服飾品の「リセール（再販）」などの循環サークルがじわじわ広がってきています。「メルカリ」などのフリーマーケットアプリが一般的になったころから、「飽きたら売る」前提で購入する、リセールバリューを考えての購入が増加。フリマアプリなどによるC2C（個人間取引）の市場は19年時点ですでに1・7兆円を超えています（経済産業省「電子商取引に関する市場調査」より）。

さらに近年はメーカーが使用済みの自社商品を消費者から回収してメンテナンスをして再販したり、新たな製品として販売したりする流れが増えています。それらのメーカーは衣料の寿命を延ばして環境への負荷を減少させるために、「新品よりクール」というイメージを展開し、修理やメンテナンスの体制も整えています。20年には「ユニクロ」が顧客が不要になったダウンジャケットなどのウエアを再生して販売するという取り組みを発表し、話題になりました。

このような取り組みは、リアルの売り場まで広がっています。日本の百貨店では想像ができませんが、20年には米国百貨店のノードストロームが、新しい店舗の売り場でリセールをスタートし、話題になりました。

ファッションブランドに元気がないのは世界共通ですが、一方でLVMHグループ※16会長のベルナール・アルノー氏がフォーブスの20年版の世界長者番付で3位に上がったことは、高額消費の強さを見せつけました。その憧れの頂点にある世界的なラグジュアリーブランドも「エシカル※17こそがラグジュアリー」とうたい始めています。

この言葉を聞いたとき、私は以前目にしたレザー製品の売り方の変化についての記事を鮮明に思い出しました。それはこれまでの「ご安心ください、うちは本物しか置いていません」という言葉が「ご安心ください、うちは偽物しかおいていません」に変わっているという内容でした。

エシカル度を一目でチェックできるアプリ

「グッド・オン・ユー」というアプリをご存じでしょうか。

15年から展開しているオーストラリア発のアプリで、欧米やオーストラリアのブランドが多いため、日本人にはあまりなじみがないかもしれません。2000を超えるファッションブランドの「エシカル度」が一目で分かるように表示されています。

彼らはウェブサイトでこんなメッセージも伝えています。

「グッド・オン・ユーのブランド格付けシステムは、ファッション業界が直面している最も重要な社会的および環境的問題を考慮し、ブランドが人、地球、動物に与える影響を評価します」。そしてここでの評価基準や指標、そのデータなどの集め方についても細かく公表することで、レーティングに重みと信頼を持たせているのです。

エシカルに興味はあっても、ブランドによって公開基準も異なり、素材の履歴まで個人ではつぶさになかなか遡れませんし、購買のためにそこまで調べられるのは、せいぜい自分の欲しい商品がある程度決まっている場合に限られるでしょう。しかし、このサイトでは2000以上のブランドの環境への負荷がチェックできるのです。

例えば、婦人服→ニットと選択すると、たくさんのニット商品がブランド別に並び、環境、人権、アニマルウェルフェアの3つの視点で5段階の評価がなされます。表示も高い順なので、そもそも低い評価の商品は顧客にたどり着けません。この評価はブランドの公式情報や客観的な認証など、公表されている情報に基づいています。

そして興味のあるブランドをクリックすると、ブランド紹介や3分野の評価結果の解説、ウェブサイトの紹介が続き、下には類似のブランドが出てきます。同時に、各ブランドへのメッセージもアプリを通して送ることができるという、双方向のコミュニケーションも実現しています。

このアプリで面白いと思ったのは、エシカル商品の比較から購買への連動だけではなく、社会的なメッセージや素材について学べることが多いこと。

例えば、Ｓｔｏｒ·ｉｅｓというコーナーでは「ジーンズ：循環経済を体現するファッション」「持続可能なファッションがセクシーであることを証明する」といった記事が定期的に追加されています。その一例、「ロストストック」はこんな感じで商品説明が始まります。

「ロストストックは、キャンセルされた服を救います。それらを失業した衣服労働者に収入と食料を提供するために販売します。ＣＯＶＩＤ－19の結果、バングラデシュだけでも20億ドル以上の衣料品注文が取り消されました。これらのキャンセルは、国、これらの服の生産の背後にある衣服労働者、および環境にばく大な影響を与えました。バングラデシュは、輸出収入の84％を占める衣料品産業に大きく依存しており、３６０万人以上の労働者を雇用しています」。

そしてMADE FROMのコーナーでは、「コットン、カシミヤは倫理的か？」「レザーは食肉産業の副産物か？」など、ビーガンレザーの時代に興味深いテーマが並びます。私が検索した時点ではJAPANというキーワードでは商品を見つけることはできませんでしたが、最近のクラウドファンディングでのファッションを見ていると、いくつかのブランドがここに並びそうだと感じました。

世界に出て行く手法やコストは大きく変化しています。そしてそれ以上に消費の原点にある購買のモチベーションも、大きく変化しているのです。家計最終消費支出※18は、日本でもGDPの50％以上を占め、G7諸国はさらに上回っています。ライフスタイルや意識が変化したことで、環境を取り巻く消費マーケットは新しいステージに入ったと感じています。

スモール イズ ビューティフル

『スモール イズ ビューティフル』という本の結びで、著者である経済学者のE・F・シユーマッハー氏はこう語っています。

「科学・技術の力の発達に夢中になって、現代人は資源を使い捨て、自然を壊す生産体制と人間を不具にするような社会を作りあげてしまった。富さえ増えれば、すべてがうまくいくと考えられた。カネは万能とされた。正義や調和や美や健康まで含めて、非物質的な価値は、カネでは買えなくても、カネさえあればなしですませられるか、その償いはつくというわけである。生産を増やし、富を手に入れることが、こうして現代の最高の目標となり、これに比べれば、他の目標はどれもこれも、依然として口先でこそ重んじられているはいるものの、低い地位しか与えられていない」

この本は1973年に刊行され、副題は〝人間中心の経済学〟。この本の中で警告された石油危機は現実のものとなり、この本もベストセラーとなって多くの人に読まれました。

タイトルにもあるように、ここでシューマッハー氏は「大きければ大きいほど良い」という考えを捨て、物事には「適正な規模」があると語ります。そして小さいことの素晴らしさは人間スケールの素晴らしさだと語ります。今読んでも新鮮で、環境や貧富の差に向けての鋭い警鐘を鳴らしています。

COVID-19の痛みは大都市のほうが強く受けました。それは今回のパンデミックだけでなく、他の疫病でも自然災害でも、テロなどの人為的な災害でも、人口の集中する大都市のほうが高リスクであると住民の多くが知りながら、利便性や仕事上の必要性から住み続けてきたのです。

これまでであれば、若い世代にとって夢を実現するチャンスが地方より大都市のほうが大きかったのは事実です。しかし今、オンライン環境の拡充でリアルな「場」を必須としない経済圏やコミュニティーが広がる中、社会システムは中央集権的な大都市集中型から自律的な地域分散型に移行し始めています。商品の取引形態も同様で、市場集約型だったものが相対型や分散型になってきているのです。

パンデミックで各国が人やものの移動をストップしたとき、「サプライチェーンは長くなると部分部分が見えにくくなり、有事のときに分断されるリスクが高まる」という話はよく耳にしました。エネルギーでも、災害時に一斉に長期間電気が止まるリスクからも、地域での小規模な自己消費型の再生可能エネルギーの普及は広がっています。大きいことのリスクは高まっているように感じます。

一方、今後「小さくて適正な規模」を持つ事業は多くの国で生まれ、地産地消のベクトルも強くなるでしょう。しかし、グローバル化が後退するわけではありません。生産もマーケットもすでにつながっているのです。

ただこれまでのような、低コストの大量生産に都合のいいエリアの使い分けは、食やアパレルなどすべてにおいて難しくなると感じています。目に見えない遠い場所の環境を壊しているかもしれないという意識は今後より高まるように思います。それは作り手側ではなく、購入する消費者側として。

もう一つ、小さくて適正な規模の事業は地域に根付き、技術の継承にもつながります。例えば、英国には観光客が集まる有名な観光地のアンティークマーケットが数多くあり、アンティークを日常の中で楽しむ文化が日本より根付いています。「開運！なんでも鑑定団」のようなテレビ番組も数多くあり、一般視聴者がグループで各地の骨董マーケットで一定金額の買い物を行い、それをプロが鑑定して目利きを競う番組を英国留学中によく見ていました。

しかしその英国でも、工芸品も織物も使い捨てファッションに押され、刺繍、縫製、裁断、仕立てといった技術の継承は難しくなっており、危機感を持っていくつもの団体が動いています。とりわけチャールズ皇太子はこういったサステナブルな活動に熱心なことがよく知られていて、ファッションだけでなく食の分野でも、「王室御用達」を使用する企業に環境要求事項を遵守することを求めるなど、具体的な行動を起こしています。

そして、小規模でもサステナブルな取り組みを行う企業や生産者がそのお墨付きで海外での商品展開が容易になったり、ブランドとしての地位を確立できたりもしているのです。日本ではこの分野でもまだ掘り起こせる技術も素材もたくさんありそうです。

天然素材あふれる地域の1次産業にチャンス

食や農業と連動する成長マーケットは、前述したビーガンレザーだけではありません。すでに変化のうねりは、あちこちで起きています。例えば、化粧品も天然由来の素材を前面に打ち出した商品が人気です。

09年にブランドがスタートしたTHREE（スリー）は日本での先駆けとも言え、瞬く間に日本だけでなくアジア各国でも人気になりました。容器もギフト包装もシンプルで、スタイリッシュな店舗もその世界感を演出しています。15年スタートのSHIRO（シロ）も、店舗では女性だけでなく男性も一緒に購入している姿をよく見かけました。

世界的にも、素材のビーガン化（動物由来成分を使用しないこと）を進めるブランドは急増しています。化粧品業界はＯＥＭ※19が主流ですが、ＯＥＭメーカーでも植物由来の素材原料を扱うところが増え、国産の原料ニーズも高く、近年はさまざまな素材開発を進めていると聞きます。

化粧品の材料は食品と共通するうえ、求める成分の違いから食品が廃棄する部分を使用することも多く、１次産業の盛んな地域にこれまでとは異なる分野からの収益をもたらす可能性が高いと考えています。

さらに容器にも変化が起きています。

エコ意識の高まりでリフィル（詰め替え）は一般的になっており、海外メーカーでは、シャンプーやボディウォッシュを必要な分だけ購入できるリフィルステーションを設置したり、再利用する容器は天然由来の素材というところも増えています。今後はエコ容器や捨てない容器のニーズはさらに高まりそうです。

ただ、表面的な文言だけに飛びつくのは危険です。使用する素材はよくても製造加工の段階で環境に負荷がかかる可能性があったり、耐久性がないために結局ゴミになったり。エコに対するトータルな視点が消費者からメーカーに注がれており、企業には透明性がより求められるようになっています。

米スタートアップ企業のテラサイクルも21年春から、化粧品や飲料などの容器を回収して再利用するリサイクルのショッピングシステム「Ｌｏｏｐ（ループ）」を日本でも展開すると発表。ここではイオンや味の素、キリンビール、Ｐ＆Ｇジャパン、大塚製薬などの大企業が名を連ねています。

さて、こういった一連の動き、どこか懐かしくないでしょうか。

50年ほど前には酒やしょうゆ、味噌の量り売りがまだあり、容器は再利用で、木樽の蔵があちこちにありました。駄菓子屋も量り売りでした。

木樽は衛生管理などの利便性からホーローやステンレスに切り替わり、食品の量り売りは小売りをする際の表示義務といった規制強化などの影響で消えていきましたが、最近ではナチュラルローソンが一部の店舗で洗剤の量り売りを始めるなど、見直されているようです。

個人的には、リペアやメンテナンスのマーケットにも興味があります。これまでの「壊れたところを直す」という概念だけでなく、長く使い続ける視点に立ったときにビジネスモデルが大きく変わる気がするのです。

私自身は靴のリペアサービスをよく使いますが、多くは応急処置。指輪だとデザイン提案を含めたリフォームのサービスは珍しくないですが、バッグや小物、田舎の古い家具など、色や金具、取っ手を修理して長く使い続けられるためのサービスがあったら素敵だなと思います。

最近こんなこともありました。実家を片付けていて出て来た、大きな手編みのざるやかまど用の釜。今の私には不要ですが、古民家を改修して宿泊施設を開業した友人が必死で探していたものだったのです。ものが使われなくなって時間がたつと材料がなくなり、職人もいなくなります。寂しいかぎりです。

ダウンサイクルではなく「アップサイクル」

3R（リデュース・リユース・リサイクル）の知名度は高いものの、ダウンサイクル・アップサイクルとなると知名度が半分くらいになると、どこかの記事で見かけました。

ダウンサイクルとは、着古したTシャツから雑巾を作るなど、元の製品よりも価値が下がるリサイクルのこと。それに対し、手を加えて元の製品よりも価値を高めたり、別の価値を付加したりするのがアップサイクルです。

製品としての「素材」をそのまま生かすので環境への負荷が少なく、商品としての新しい価値も加わるため、サーキュラーエコノミーの考え方にも合致します。リサイクルの難点は原料に戻したり、素材に分解したりする際にエネルギーが使用される点なのです。

廃棄される古いトラックの幌（ほろ）などからメッセンジャーバッグやリュック、財布などの小物まで展開する「FREITAG（フライターグ）」。アップサイクルの古顔といえる同ブランドはスイスで1993年に創業し、日本でもセレクトショップを含めると多くの店舗で販売されています。

すべて1点もので同じデザインが存在しない希少性と、廃棄される素材から作られているストーリー、そして純粋に使い勝手やデザインが好きという3要素が合わさり、根強いファンが多くいます。長年愛用したバッグをユーザー同士が交換できるというアプリまで用意しました。

価格は主に数万円程度です。10万円を超える商品もあり、安くはありません。廃棄される素材でこの値段?という人も、公式ウェブサイトで紹介されている製造工程を見れば、納得できます。

幌を回収後、ためた雨水で汚れを洗浄し、デザインに沿ってパーツごとに裁断したものを縫製して商品にするそうです。興味深いのは、その生産工程のほとんどがスイス国内で行われていること。

量産の世界では製造コストを抑えるため、人件費の安い国を転々としながら大量生産する構造が続いてきました。しかし小規模生産のブランドにおいては、自国で企画・製造し、販路は世界という流れはこれからもっと増えるかもしれないと思います。一見非効率に見えますが、地域での雇用があって環境への負荷も少ないなど、これからの時代に重視されるコストは少ないのかもしれません。

こうしたアプローチは顧客との関係性が短期的なものから長期的なものに変化している今だからこそ、より重要といえるでしょう。それは近年勢いのあるD2C(ダイレクト・トゥー・コンシューマー)ビジネスのポイントが〝顧客との継続的な会話を通じた販売〟を重視していることであり、単発の売り切り型ではなく、信頼や共感によるサブスクリプション型の継続的取引が拡大している傾向からも伺えます。

※12 完新世…地質時代の1区分。最終氷期が終わった約1万1700年前から現在までの期間。安定的な環境で、人類が大発展を遂げた。

※13 人新世…ノーベル化学賞を受賞したパウル・クルッツェン氏らが提案する、人類が地球規模の環境変化をもたらしている地質時代。

※14 RCA（ロイヤル・カレッジ・オブ・アート）…1837年に設立された、修士号以上に特化した英国の美術系大学院大学。芸術・デザイン及びコミュニケーション研究において世界で最も権威のある大学院大学といわれている。

※15 世界銀行…貧困削減と持続的成長の実現に向け、途上国政府に対して融資、技術協力、政策助言を提供する国際開発金融機関。

※16 LVMHグループ…「LVMH」は「モエ ヘネシー・ルイ ヴィトン」の略。6つの事業セクターからなる75の高級ブランドを保有。ワイン&スピリッツ事業ではモエ・エ・シャンドン、ドン ペリニヨンなど、ファッション&レザーグッズ事業ではルイ・ヴィトン、ロエベ、フェンディ、セリーヌ、クリスチャン ディオール、ジバンシィ、ケンゾー、リモワなどを保有している。

※17 エシカル…「倫理的な」という意味。人権や地球環境などに配慮した商品や企業を支持する「エシカル消費」が広がっている。

※18 家計最終消費支出…生活者の消費活動の集積を表した指標。

※19 OEM…他社のブランド名で商品を製造すること。Original Equipment Manufacturer の略。製造を引き受けるメーカーは、製造ラインの稼働率を維持することができるとともに、市場ではブランドの多様性を確保できる。

4章

消費者の意識が変わった

女性誌がこぞって「SDGs」「サステナブル」を特集

最近の雑誌の表紙から感じることはないでしょうか。「欲しいものが変わった」ことを顕著に感じさせるのが、若い女性向けファッション誌や情報誌の表紙です。SDGsやサステナビリティーは以前から単発的に考え方やライフスタイルとして扱われることはありましたが、そのボリュームが全く変わりました。

例えば、「Hanako」（マガジンハウス）の2020年12月号。巻頭特集のテーマがSDGsで、目次を見ると「あの人のサステナブルな暮らし。」「EXITと一緒に考えよう！楽しくSDGsはじめちゃいます！」など、若い世代に人気のアーティストやタレントたちが自分なりのSDGsを語り、おすすめグッズを紹介しているのです。

また、20代に人気の女性ファッション誌「sweet」（宝島社）21年1月号では「当たり前のサステナブルライフを始めよう」というタイトルで、「今すぐできるアクションLIST」などを6ページにわたって紹介しています。ここでは「MYボトル&箸を持ち歩く」「バルク（量り売り）ショップで必要な分だけお買い物」「アップサイクルで生まれ変わった新顔に出会う」といった内容が掲載されており、若い女性の日常生活にサステナビリティーの意識が定着していることが分かります。

買ったことによって地球環境に負荷をかけないと感じられるもの、地球環境との共存を実感できる満足感のようなものが消費とリンクしており、まさに自己実現消費でもあります。他にも多くのライフスタイル雑誌が、消費の面からもこのテーマを取り扱っています。

SDGsを特集している雑誌に登場している人やそれを読んでいる読者は、自分たちが消費することでSDGsを実現しようとしています。つまり自分の生活に組み込みたい人たちのための内容であり、そこがこれまでと全く違います。

SDGsの取り組みをどう表現するかに頭を悩ませている企業は少なくありません。バッジを着けることで賛同を表明しながらも、具体的にどう行動するか、まだ頭で考えている途中の企業も多いでしょう。

しかしすでに消費者は変わり動き始めています。世界の環境課題に対する日本の遅れはメディアでもよく指摘されていますが、若い世代を筆頭とした消費者の商品・サービスにサステナビリティーを求める意識の浸透スピードは、欧米そしてアジアの感度ある消費者と変わらないと感じます。

「共感消費」が持続可能な世界をつくる鍵になる

消費生活について語るときに私が思い出すのが、『「幸せ」をつかむ戦略』(ダン・アリエリー、富永朋信著)という本の中のエピソードです。デューク大学教授のダン・アリエリー氏は、〝消費の幸せ〟について、以下の個人的な体験を例に語っています。

アリエリー氏が住む町には、しゃれたオーガニックフードをキッチンカーで売っている女性がいて、その店はアリエリー氏のお気に入りでした。あるとき、銀行で偶然その女性と出会い、彼女のトラックが壊れ、営業を続けるためには5000ドルの融資が必要なこと、しかし銀行のローンを利用すると金利が高すぎて、やはり営業が続けられないことを知ります。そこでアリエリー氏は、自分が融資するから店を続けてほしい、返済は大学の研究室の人間が買う商品代でいいという申し出をするのです。

彼女だけが得をしたように見えますが、アリエリー氏にとってもいい取引でした。なぜなら、「私の周囲にいる人が幸せだったら、私の人生も良くなるから」。そしてこの一件で、地元経済に対する自分の考え方が(最小限のお金しか払いたくないという)「競争」から、(周りの人全員にとって良い均衡を生み出そうとする)「協調」に変わった、と語っています。

私はアリエリー氏のこの考え方が、まさにニューノーマル時代のビジネスで非常に重要なマネタイズ(収益化)のポイントではないかと思います。同じお金を使うなら、大事に思う誰かを支えたいという心理が、これからの経済を動かす大きな力になるのです。

農業の分野で思い出すのは、米国発のCSA(Community Supported Agriculture・地域支援型農業)。メンバーになった消費者が生産者に代金を前払いして小規模の地域農家を支える仕組みで、7年前に米国に住む友人宅に泊まったときに教えてもらいました。顔の見える農家とのつながりが顧客からも人気で、この仕組みが多くの国で広がっています。

地球の環境を守るためにサーキュラーエコノミーの実践に努力している企業は、自分にとっても周囲の人間にとっても大事な存在であり、利益のみを追求する企業よりもそちらを選びたいと思うのは自然な感情。実際、20年の購買の特徴にグリーンコンシューマー※20の存在を掲げる経営者が何人もいました。

特に若い世代を中心に環境に対する関心は非常に高く、サステナブルな商品を選ぼうとする消費行動につながっています。「1円でも安いものを買って得をしたい」（競争）よりも、「その買い物をすることで、自分も社会全体も幸せになりたい」（共感）という、意識の変換が起こっているのです。なくなってほしくないメーカーの商品を購入することで支えるという意識は、クラウドファウンディングや震災のときの復興支援などにも通じるものがあります。

クラウドファンディングと言えば、「CAMPFIRE（キャンプファイヤー）」「READYFOR（レディーフォー）」「Makuake（マクアケ）」などがありますが、日本最大のCAMPFIREは11年創業。支援資金総額は390億円を超え、支援者数は450万人。掲載プロジェクト数は4万7000件に上ります（21年2月時点）。

同じく11年にスタートしたREADYFORは社会貢献型プロジェクトに特徴があり、支援者数は70万人、支援額は180億円以上。掲載プロジェクト数も1万5000件を超えます（21年2月時点）。Makuakeは13年の創業で300億円以上の支援総額と130万人を超える会員を持ち、プロジェクト数は1万3000件を超えます（21年1

月時点)。ほぼ同じ時期に創業し、一気にこのマーケットが広がっているのです。近年はこのマーケットを大企業が商品開発に活用する例も増えており、従来の社会貢献の枠を超えたマーケットカテゴリーになっていることを実感します。

飲食や宿泊をはじめとして、エンターテインメントなどのイベントも一斉に中止や自粛になりました。彼らは消費者側への訴求を行うだけでなく、早々に出店側の手数料を無料にしたりサポート企画を立ち上げたりと行動が早く、そこも共感の拡大につながっていると感じます。

こうした「自分にとって大切」と思われる企業や店が選ばれる傾向は、コロナ禍によってさらに増大するでしょう。分かりやすい例ですが、飲食店の閉店が続く中、自分のお気に入りの店だけでも守りたいと、テイクアウトやデリバリーをせっせと利用して支援をしたという人は少なくないのではないかと思います。

逆に言えば、選ばれているのはお客が真に求めているものを提供している店で、それは商品だけではなく店主や働く人、その店自体の雰囲気もあるのです。味もサービスもそこそこ、駅に近くて便利で安いという理由だけで時折利用していた店を、テイクアウトやデリバリーをしてまで支えようと思う人は少ないでしょう。

「お取り寄せ」「贈り物」で消耗している人が多い

こんまり（近藤麻理恵）さんの著書『人生がときめく片づけの魔法』があれだけヒットし、断捨離も当たり前になっていることからも分かるように、私たちはものを持ちすぎていて、新しいものはそれほど必要としていません。企業はこなれた価格、新しい機能や効能、そして素敵なパッケージデザインなどで新商品を展開しますが、消費者には「いったん立ち止まって必要かを考える癖」がついてしまいました。

そんな中で今、どういうものが必要とされているかを考えると、一つは「自分のポリシーを語れるもの」ではないでしょうか。

人とつながりたい気持ちが、このコロナ禍でより強くなっています。そこで需要が高まっているのが、言葉の代わりにものを贈って伝えたいギフト商品。つくり手にとってもギフトは単価を高く設定でき、自分たちの個性やこだわりも出しやすいという大きなメリットがあります。とはいえ、ギフト商品は星の数ほどありますので、その中で選ばれるのは至難の業。選ぶ側も大変なので、そのためのガイドとしてお取り寄せ本やネットのレコメンドがこれだけたくさん存在するのでしょう。

先日、友人と贈答品選びについて雑談をしていた際、「毎年、手土産やお取り寄せのガイド本を買うけれど、種類も掲載商品もあまりに多く、手土産選びで消耗している」と語っていました。また、彼女は「他の人とかぶらないようにレアな手土産を持って行ったら、そのブランドを誰も知らず、価値が伝わらなかった」という情報過多故の失敗談も語りました。新しいもの、珍しいもの視点で選ぶと翌年にまた迷うことになり、中にはなくなっているお店も。こうした状況に疲れる人が増えると同時に、ギフト情報はどんどん増加しています。

「語れる」パーソナルギフトに注目

ギフトニーズの変化は05年にエキナカを立ち上げる際にもすでに感じていました。当時はギフトと言えば百貨店でしたが、エキナカではお中元やお歳暮といった形式的なギフトではなく、800〜1500円程度の百貨店にはあまりない価格帯で、自分や身近な人に贈るパーソナルギフトを意識しました。「この間、食べておいしかったから」「帰りがけにちょっと買ってきたよ」と、友人や家族にちょっとだけ「語れる」商品が欲しいというシーンは、日常にたくさんあります。「朝、ケンカした奥さんの機嫌を取るのにちょうどよかった」という友人の声をもらったこともありました。

「贈りたい気持ち」はすべてのベースです。語れるだけでなく、日常用途の延長にあるギフトにはまだポテンシャルがあります。そして私たちが「古い」という言葉で捨て去ってきた商品や贈り方の中にも宝が多く眠っているように思います。

ポリシーを語れるものなら、同じ品を贈り続けることが意味を持つ

ギフトとなると相手の顔が浮かんで構える方も多いのですが、これからは価格や知名度よりも、前述のように「自分のポリシーを語れるもの」が主流になると思います。そうなると売り方も当然変わってきます。これまでの「どう売るか」ではなく、「どう伝えるか」が重要になるのです。

例えば、同じものを贈ると「またこれか」という感想を持たれてしまうのではないかと心配する方もいますが、ポリシーを語れるものであれば、「また今年も同じものを贈る」ことが意味を持ちます。私も東日本大震災の後から、岩手で被災した八木澤商店のしょうゆをよく使わせていただいていますが、贈った方から近況と一緒に「この時期はしょうゆを買わないで待っている」と礼状をもらうとうれしくなります。

ネットや雑誌の情報を生かした新しい商品との出合いもとても大切ですが、まずは自分で取り寄せて試していただくことをお勧めします。いくつかお取り寄せする中で自分好みの商品や企業が見つかり、そこからまた新しい商品につながって、あっという間に自慢のリストができます。

20年12月、ONE・GLOCALのECサイトと、アパレル工場直結ブランド「ファクトリエ」との協業での食事業をスタートしました。地域のメジャーではないけれど個性的な素材にスポットを当てるコンセプトで、第1弾はリンゴジュースにしました。

自然のものなので、同じ品種であっても年によって味も色も変わる。そんな商品を毎年贈り続けることで「今年の味は去年とちょっと違うよね」と感じてもらえる楽しみもあります。また、その産地に興味を持って誰かに伝えたりすれば「地域とつながれる」ギフトにもなり、見知らぬ土地に親近感が生まれます。

「意味のイノベーション」という言葉があります。17年に刊行されてベストセラーになった『突破するデザイン』（ロベルト・ベルガンティ著）の中で何度も出てくる言葉です。ロウソクが「灯りをとる」ためのものから「心が癒やせる」ものになり、先進国では成長産業になっています。事例として挙げるのはヤンキーキャンドル。香りに特徴があり、ほのかな明かりは電球にない雰囲気を空間に与えてくれます。

ベルガンティ氏はここで「意味の探索」の重要性を語り、「意味の創造」を例えます。「贈り物は、贈り主の気持ちから生まれることが重要で、それは贈り主自身の意味の探索なのである。贈り主としてのあなたが愛せないものを、誰が愛してくれるだろうか？～中略～意味とは、贈り手であるあなたと、あなたがつくりだしたモノゴトを受け取る相手をつなぐものなのだ」と。

※20　グリーンコンシューマー…環境をイメージした緑と、コンシューマー＝消費者を合わせた造語で、「環境を大切にする消費者」という意味で使われている。

対談

消費者に服や食といった線引きはない

ファクトリエ代表 山田敏夫氏

鎌田由美子（以下、鎌田） 私はスタート当初から、一顧客としてファクトリエの商品に興味を持ち、愛用していました。というのも、JR東日本から百貨店に出向していたときに、アパレルの売り場で「縫製工場は技術があっても下請けに徹している」「経営的に厳しいところも多い」ということをよく聞いていたからです。ですので、工場の名前がきちんと出るような形で、こなれた価格で、商品を直接お客様に提供するファクトリエが出てきたときに大変驚いたんです。

山田さんとは数年前にお会いしたときから考え方に共通するものを感じ、「私は食でこういうことをしたい」とずっとお話ししていました。その後、サラリーマンを卒業してロンドンに留学し、戻ってきたタイミングで「食ビジネスを立ち上げたい」とお話をいただきました。

山田敏夫氏（以下、山田） ファクトリエでは熊本の店で19年から、地元で自然栽培や有機栽培を行っている方々にご協力いただき、食のイベントを開催していました。その方たちがコロナ禍の影響を受けて大変苦しい思いをされていると聞いたので、食べて支援する「ファクトリエ　マルシェ」を20年3月20日に始めたんです。期間限定でしたが、驚いたのが販売した商品があっという間に完売したこと。

コロナ禍で苦しむ農家を応援したいというお客様の思いが強かったのだと思いますが、自分たちで勝手に服屋だと決めつけているだけで、買う側は服や食といった線引きはないのかもしれないと。「良いつくり手をお客さんに紹介し、適正な価値と価格でつなぐ」という提供価値は服も食も同じじゃないかと気がついたんです。その手応えがあったので、同年7月に鎌田さんが留学から戻られたときに「食で何かしたい」と相談しました。

鎌田　食で何かやることは一致したのですが、フードビジネスの幅はすごく広いんです。しかも地域の名産品を集めたセレクトショップはとても増えていますし、目利きのバイヤーや有名人がセレクトした地産品も多数販売されています。またライフスタイルの提案ということで、雑貨店やアパレルショップがその一角で食品を展開することが普通になってきました。

でも私はもっと狭いところ、「ニッチマーケット」をきっちり深掘りしたいと思ってい

(左)ファクトリエ代表の山田敏夫(やまだとしお)氏。1982年生まれ。熊本市の創業100年を超える老舗洋品店の息子として育ち、中央大学商学部在学中にフランスへ留学。グッチ・パリ店で勤務した経験から、「世界に誇れるメイド・イン・ジャパンブランドをつくりたい」という夢を抱くようになる。大学卒業後、IT系ベンチャー企業を経てファッション関連会社に勤務し、2012年にライフスタイルアクセントを設立。ファッションブランド「ファクトリエ」を立ち上げ、工場と消費者をダイレクトに結ぶファクトリーブランド専門の通販サイトを開始する。著書に『ものがたりのあるものづくり　ファクトリエが起こす「服」革命』(日経BP)がある。(写真／稲垣純也)

ました。なぜなら味の好みは千差万別であり、万人受けはしないけれど自分好みの素材があるのに、それと出合えていない人も多くいらっしゃると思っているからです。

また個性的な素材の多くは大量生産の時代の中で淘汰され、地元だけでひっそり育てられていて、知られていないことも多い。そんな産地や素材にスポットを当てると同時に、産地が自分の力で元気になっていくきっかけをつくりたい。でもそうなると、商品化から自分たちでやらないと欲しいものができないということもあって、小ロットでのものづくりをしたいと考えていました。そういう話を山田さんにしたところ、「僕も同じことがやりたかった」とおっしゃってくれて。その「深掘り」という部分がまさに、ファクトリエが提唱してきた「語れる」ことと重なるのかなと思っています。

商品の「物語」で自己肯定感が満たされる

鎌田　私が作りたい食品を誰が利用してくれるのだろうと考えたとき、ファクトリエのお客さんの層にかなり近いんじゃないかと思ったのですが、山田さんはどう思われますか。

山田 食に関して、今は純粋に「味」だけで勝負するのは難しいと思っています。どのメーカーも、特に高価格帯の商品はみんなこだわってつくっているので、目隠しして味わったらどれもおいしい。

ただ、僕たちのお客さんは服でいうと品質やデザインだけでなく、ファクトリエの商品を買うことで自分のもの選びのスタンスを伝えたいという気持ちがとても強いように思うんです。そういう人たちに対し、僕らはつくり手の思いなどの「語れる要素」を服という形で届けているんだろうなと。それは食でも同じです。

洋服でいうと、今は二極化していると思っています。長く大切に使えるものを選ぶか、ファストファッションやメルカリで買うか。ライフサイクルが早いもの、例えば子供服や女性のトレンド服などはほとんどメルカリで買うという層が圧倒的多数。だからファッションブランドのライバルは意外にもメルカリなんですね。

特にレディースに関しては、「1回着たら売る」人にとって洋服は安い値段でいいわけです。「メンテナンスして愛着を持って長く着る」という人たちの心の中には「何か語りたい」という気持ち、「自己肯定感を満たしてほしい」という気持ちがあると思っていて、そういう欲求を僕らが満たしていると思います。「これをつくっている人はこういう人で、こういうところがほかと違ってすごいんだよ」という話ができて、それによって何かちょっとでも気持ちが上がるみたいな。

うんちくと心を揺さぶる「語り」の違いは〝熱狂〟

鎌田　山田さんが考える「語れるもの」というのは、どういうものでしょう。例えば洋服でも細かい説明や蘊蓄(うんちく)は世の中にあふれていますよね。そういうものと、何が違うんでしょう。

山田　答えになっているかどうか分かりませんが、僕は「熱狂的な人」が大好きなんですよ。僕らはファクトリエマガジンというオンラインメディアをやっているんですが、例えば先日取材させてもらった靴職人さんなんて、自分のつくった靴の木型のフォルムが美しくて、「それを見ているだけでお酒が何杯でも飲める」と(笑)。そういう熱狂的な人を僕はすごく愛しているんです。

なぜって結局、自分が愛するものについて考え抜いた人からしかそういう言葉って出てこないですよ。つくっている商品について聞いても情報がそれほど出てこない人は、口下手というよりも、あんまり考えていない人だって僕はもう勝手に思っているんです。本当にそれが好きで真剣に考えている人からは、言葉がいくらでも出てくる。僕らは「これに関しては何時間でも話せる」というくらいの熱量を持っている職人やつくり手とだけ協働しています。だから「語れる」というのは、僕たちがつくり手の熱狂的な言葉を借りて語っているんだと思っています。

鎌田 私もエキナカの立ち上げに携わっていたときに商品開発をしていて、「これはギフトとして売れそう」という分析もしましたけど、それ以上にまず「自分たちが欲しいものを並べたい」という気持ちが強かったんです。それはファクトリエの製品を選んだときもそう。数回買っているホワイトパンツは自分が欲しくて買って、買ったらやっぱり良かった。だから人にも薦めたくなるんですよね。

山田 「人に伝えたい」という気持ちは、すごく大きな要素だと思っています。僕は実家が洋品店で、店の上に家がありました。子供のころから店を見ていて、僕の中で最強だと思っていたのは、「あの人から買いたい」ということ。周りにショッピングセンターができても、目の前に人気ファストファッションの店ができても、うちの実家が生き残れたのは、「あの人から買いたい」と思ってくれるお客さんが大勢いたからなんです。

僕は「あの人から買いたい」の「あの人」を、「つくり手」にしたい。だから「語れるもの」というコンセプトも、突き詰めていくと、ただ「熱狂的なつくり手から聞いた話をそれが分かる人に伝えていきたい」と思っているだけなんです。

5章

地域のものづくりにチャンスあり

青森「A-FACTORY」の立ち上げで学んだこと

私が地域、そして1次産業の可能性に魅力を感じたのは、JR東日本の社員として地域活性化の仕事に携わっていた42歳のころでした。地域の持つ魅力、農家の個性や加工に魅了され、一緒に何かをしたい気持ちがむくむくと湧いてきました。

そのきっかけの一つが青森のシードル工房「A－FACTORY」の立ち上げでした。2010年の新幹線「新青森駅」開業に合わせて地域貢献として取り組んだ事業で、「地元の人が参画する」「地元の素材を活用する」「地域の観光につながる」ことを前提に、都心のマーケットを狙える新しい産業をイメージしました。規格外や傷などで廃棄同然に扱われることの多かったリンゴを生かせる方法を考えたのです。

完成した施設では、青森産のリンゴでシードルからアップルブランデーまでつくる工程がガラス越しに見え、試飲もできます。世界的に有名なインテリアデザイナーである片山正通氏設計の建物は海沿いに位置し、デッキから見える海は絶景。青森の素材を楽しめるカフェやイートインがあり、開放的な吹き抜け空間の中にあるマルシェには地元

青森駅に隣接するシードル工房「A-FACTORY」。シードルからアップルブランデーまでつくる工程がガラス越しに見える（Interior Design: Wonderwall®、Photo: Kozo Takayama）

の加工品や農産品がふんだんに並びます。観光客だけでなく地元の人がくつろぐ場にもなり、COVID-19が流行する前はオープンスペースでの地元作家によるクラフト教室も人気でした。

目指したのはロスのない「サステナブルなものづくり」

シードルの賞味期限は約1年、売れ残ればロスになります。傷ついたリンゴにせっかく付加価値をつけたのに、ここでロスを出しては意味がありません。アップルブランデーの原料はシードルです。販売量に合わせて蒸留酒の仕込みを調整すれば、ロスはなくなります。寝かせれば寝かせただけ価値が増す蒸留酒は、時間が価値に変わっていくのです。積み重ねられた木樽は「在庫」という存在ではなく、ゆっくりとした「時間」を感じさせる空間を彩ります。サステナブルなものづくりがここにあると感じました。

もともとシードルやアップルブランデーをつくる技術を持ち、素材もふんだんにあった地元でなぜシードルが育たなかったのでしょうか。ここには青森だけでなく他の地域にも共通の原因が潜んでいます。

果物は「より甘く、より大きく」がトレンドで、小粒品種は効率の悪い生産物として淘汰され、昔ながらの酸味の強い品種や傷がつきやすい品種は敬遠されるようになっていました。青森も日本一のリンゴの産地だからこそ大きくて形と色のきれいなリンゴをつくることに腕を磨き、傷ついたり日焼けしたりしたリンゴは潰してジュースにすることが当たり前。ジュースになるリンゴは二束三文の価格で引き取られます。そのため、「加工で商品の価値を高める」という発想は全くなかったのです。シードルに使うためのリンゴを売ってほしいというと、「めぐせえ」(みっともない)という言葉を何度も言われました。

そんな形で孤軍奮闘でスタートしたシードルでしたが、後輩たちの力で経営は順調。地元の農家たちの参入も増え、今では20社以上が個性的な商品を展開するにぎやかなマーケットに成長。お土産としても人気のカテゴリーに育っています。

観光地づくりで地域を巻き込む

シードルを選んだのは、簡単な設備で農業をやりながら付加価値の高い商品をつくることができるため、地域に根差した産業としてふさわしい加工方法と考えたからです。しかし、私の中ではもう一つ、ストーリーがありました。

A-FACTORYで実現したかったのは、フランスのノルマンディー地方にあるシードル街道のような観光地づくりでした。裾野の広い観光業は多くの雇用や産業を地元につくり出します。地元自慢のリンゴを使ったシードルを販売し、観光客は試飲だけでなくリンゴの木に囲まれながら食事も楽しみ、1本そしてまた1本と味や品種の異なるボトルを買ってしまいます。蒸留して木樽で寝かせることによって風味が増すカルバドス(日本ではアップルブランデー)は自分や大切な人の生まれ年の商品をお土産にすることも可能です。

A-FACTORYの立ち上げでは、素材と知見、人財という地域の持つポテンシャルの高さを実感しました。同時に、約30年小売りの世界にいる自分にとって、産地と消費

フランスのシードル街道のような観光地づくりを目指した(写真はフランスのシードル街道)

者ニーズとのギャップに大きな成長の余地が眠っているとも感じたのです。1次産業の収益が上がらないと言われ、後継者や耕作放棄地などの問題を多く耳にする中、いつかものづくりを通じて1次産業を元気にするお手伝いをしたいと思う気持ちが強まりました。

A-FACTORYはほんの一例。地域の1次産業こそ、アフターコロナの世界で求められる新たなビジネスの宝庫なのです。しかし、そこには地域の人たちとは異なる「よそもの」の新たな視点が必要です。

地方には地元の人が気づかない〝埋もれた宝〟がたくさんある

20年夏、鹿児島の「雅叙苑観光」の社長を務める田島健夫さんと久しぶりにお会いしました。同社が運営する宿泊施設の1つが超高級リゾート「天空の森」。東京ドーム13個分という広大な山にある5棟のヴィラからの景色は民家も人の姿も全く見えない大自然。そしてそのスケール感とともに感動したのが、ほぼすべてが地元素材と施設での自家製という食事です。

例えば、朝食に出てくるフレッシュバターは、近くの山の頂で完全放牧飼育をしている牧場の牛から搾った新鮮な牛乳をスタッフが容器を持って買いに行き、手作りしたもの。バター作りは難しくはありませんが、ノンホモジナイズド（生乳に含まれている脂肪球が均質化されていない）牛乳が手に入らないと作ることができません。出来たてのバターはさらっとした舌触りと口にふわっと広がるミルクの香りがあり、フレッシュならではの軽さとコク。有名ブランドの高級バターの何倍もおいしいと感じます。

しかし、この完全放牧の牧場の牛乳が出荷されると、他の牛舎の牛乳とミックスされてしまうという事実を知り、がく然としました。「なぜそんなもったいないことを！」と思うのですが、そもそもその牧場は自社ブランドで牛乳を売ってはいないし、山の上のほうで放牧しているから、その存在自体が地元でもそれほど知られていません。生産者からすると牛は毎日搾乳が必要なので、毎日必ず引き取ってくれる売り先が必要。つまりは、その価値を知る売り先を持っていないのです。

でもしそこに、この素材を使って「チーズを作りたい」「グラスフェッドバター（牧草のみを食べて育つ放牧牛の乳から作られたバター）を作りたい」という人がいたらどうでしょうか。この牧場の生乳を使って個性的なチーズやバターが作れるのであれば、生産者の卸価格も大きく変わるでしょう。さらに保存の面でも加工のメリットは大きく、販路を広げる際に輸送コストや保管コストが少なくて済みます。

チーズやバターなどに加工することで、牧場も加工者も豊かになれるのです。とはいえ、地元の高齢者が今からチーズ作りやバター作りをしようとは思わないでしょう。そこに、「よそもの」や若者の参画が必要なのです。

「捨てるのが当たり前」は当たり前じゃない

こうした例はさまざまな地域で、非常に多く目にします。以前伺った東北のとある老舗の味噌・しょうゆ蔵では今でも地場の原材料と昔からのつくり方を継承しています。しょうゆの麹（こうじ）をつくるための小麦はコークスをたいて煎り、もろみは熟成蔵で1年半から2年かけてつくられます。そのもろみを麻袋に入れて圧搾機で絞るのですが、ぽちょんぽちょんと落ちた滴がしょうゆとなり、袋の中にはしょうゆかすが残ります。

このしょうゆかすは口に入れると、ジョリジョリした食感でしょうゆの香りと味がしてとてもおいしいのです。そこで「これは売らないんですか?」と聞くと、「つまみにしたり、スイーツに入れたりということも耳にしたことはあるけど、ほとんど有機肥料になりますね」と。私は「商品化の可能性はありませんか?　おいしいしょうゆのコクも残り、食感も面白いし、このつくり方でしか生まれない副産物だから」と言ったところ、「売り物じゃないので……」とおっしゃるばかりでした。

確かに、新商品をつくろうとすれば品質や日持ち、形状など新しく調べて検査しなくてはならないことが多いうえ、容器や販路も必要です。家族経営で、未来にこの建物とつくり方を残していきたいという会社の規模感からは、まずは今の状態をどう維持するかが先決という気持ちも伝わってきました。

同じ農家でも、情報感度の差が収益の差に

20年夏、たまたま異なる県の2つのエリアのトウモロコシ農家さんと話をする機会が

ありました。

1カ所目のトウモロコシ農家さんで教えていただいたそのときの卸価格はLサイズが1本100円、Sサイズは30円。「30円のトウモロコシは1箱詰めても大した値段にならないし、手がかかるばかりで効率が悪い」と嘆いておられました。

試食しましたが、食感や味にほとんど差がないばかりか、糖度を測ったらほぼ同じ。贈答用でもない限り、100円と30円の価格差の意味は感じませんでした。しかもSサイズだとパスタ鍋にちょうど入るのですが、Lサイズだと折らないとゆでられませんし、1本食べるには量が多い。そんな感想を言ったら、「そういえばもうちょっと小ぶりなのはないかと言われることがよくあるわ」と、農家の方もおっしゃっていました。

もう一つのエリアのトウモロコシ農家さんでは、「この畑では十分稼いだから、完熟トウモロコシはボーナスだ」という言葉に驚かされました。どういうことかと話を聞くと、生育途中で間引かれるヤングコーンの人気が高く、初夏に大量出荷。最後に残す完熟トウモロコシはメインではなく、今やボーナス。まさに食べごろなので、これから出荷するということです。

最初に訪れた農家さんにヤングコーンの話をしたときには「間引く野菜に手間暇かけ

ていられないから、来年友達も連れてきていくらでも取ってくれ。朝取ったらなかなかおいしいよ」と言われたことを思い出しました。おいしいと分かっているのに、大きさが一番の価値を持つこれまでのやり方はむしろビジネスチャンスを逃しているのではないかと感じました。

後者の農家さんは、誰が何をどんな状態で欲しいのかをよくご存じでした。話している途中でも小売店から何本も電話が入り、同じスーパーにヤングコーンと完熟トウモロコシの両方を卸すと話していました。

ちなみに前者の農家さんはすべて出荷先がＪＡで、個人では一切販売していません。しかしこの農家さんのトウモロコシ作りには定評があり、地域の指導役として多くの新規の栽培農家の育成に努められています。そのため、畑仕事以外の時間が取れないともおっしゃっていました。おいしいトウモロコシだからこそ、消費者との直接の接点があったらいいなと感じました。

フランスの有名シェフたちが沖縄産黒砂糖を持ち出した

少し前になりますが、興味深いツイートを見ました。沖縄の黒糖メーカーさんがコロナ禍で出荷が激減して非常に厳しい状況になっていて、半額で販売しているという内容でした。それに対して南仏在住の日本人フレンチシェフが、以下の返信をしました。「その黒糖を使ったスイーツをこちらのシェフたちに食べさせたら驚かれて、うちの店からこっそりひとかけら持ち帰る事件が多発したことがある」。

このエピソードが示唆していることは、非常に象徴的です。いかにその黒糖がおいしくても、日本在住のシェフであればこっそり持ち帰りはしなかったでしょう。それは、日本にいればどこでも安く手に入るからです。でもそれが海外では、有名シェフもこっそり持ち帰らずにいられないほどの希少価値を持つのです。

日本で大量に収穫されるユズもYUZUとして、海外では絶大な人気です。英国のケンブリッジにある小さな蒸留所で商品の話を聞いたとき、一番人気はYUZUを使用したものだと言っていました。

今回書いたような話は「地域あるある」で枚挙にいとまがありません。だからこそ、都市部とそれ以外の地域の人の接触が多くなり、ダイバーシティーが進んだアフターコロナのシン・チホウでは、その地域に隠されていた多くの宝が発見されるでしょう。それはYUZUのように、海外にも広がっていく可能性を秘めています。

農業にはマーケティングが必要

これまで、都市生活者が1次産業に関わることで生まれる新たな可能性について述べてきました。しかし、現段階で農業は生産性向上が必要な分野の一つであることは間違いないうえ、各種の制度や制約、「よそもの」の新規参入の難しさなど、課題を多く抱えています。さらには高齢化や後継者難、耕作放棄地問題などネガティブな現状も多く耳にします。

生産性を上げるには、農地を集約した大規模農業や、北海道のような全国の4分の1を占める耕地面積を生かして機械化された農業にスマート農法を組み合わせるのも一つの手段です。国は大規模農業を推奨しており、補助金などの支援も含め、今後さらにやりやすい環境になるのではないかと思われます。

しかし、これだけが日本の農業にとって最良の解とは思いません。世界に目を向ければ、米国やオーストラリアなどの大規模農業の規模や効率は日本とは桁違い。さらに日本の地形は山あり谷ありで、中山間地での機械化は難しく、小さな耕作地での機械設備への投資は借金にもつながります。私は大規模農業と同時に、その対極にある「小さくて個性的な農業や加工業」も元気になることで、高収益化の選択肢が増えると考えています。さらに、このスタイルの農業は各地域で低リスクでスピーディーに始められ、これからの地域の起爆剤になるのではないかと感じています。

友人に有機農業の世界で有名な、茨城県の久松達央さんがいます。久松さんは脱サラした農家さんで、早い段階から「小さくて強い農業」を提唱しています。彼は著書の中で「農業は古くからある仕事ですが、既存のやり方が全てではありません。どんな人も必ず持っている、その人の強みや個性を素直に生かせば、オリジナリティーに富んだ面白い農業経営が可能」と述べています。

実際、久松農園は20～30代のメンバー7人程度で運営しており、特定の顧客を抱えて経営は順調です。ここで働くメンバーの大半が独立希望で、すでに何人も巣立っていると聞きました。しかしながら独立したメンバー全員が久松農園のような安定した収益、そして付加価値のある価格設定ができるわけではありません。

年収数百万円の農家はたいがい家族経営です。数千万円を超えるようになると雇用が生まれます。数億円規模では2次加工を手掛けたり、販路を広げたりして組織化されていきます。

日本の農業の弱点の一つは「マネジメントの弱さ」

私はマネジメントの弱さも、農業の生産性と収益性の低さにつながっていると考えています。

都会に住む人がいきなり農業といわれても、「スキルもないし、体力などフィジカルな面で不安」という人も多いでしょう。しかし私から見ると、そこは不安要素ではありません。プロの農家は70代になっても、東京の30代より効率よくプレーヤーとして動けています。

現場を見ていて感じたのが、多くの農家では農作物をつくる以外の仕事が多いということ。例えば近所の道の駅に出荷するにしても袋詰めから価格設定、ラベル貼り、そして配送となります。ネット販売となると、ウェブサイトの立ち上げでつまずくというのもありますが、個別のお客様に手紙を入れて配送となるとこれまでとは違う作業が増え、とても手が回らないし、顧客管理もなかなかできません。

農業はイメージと異なり、フィジカルな農作業がすべてではありませんし、それだけでは高い収益を得られる、生産性の高い農家にはなれません。小さくてもチームとなって生産や経費を見える化しながら、それぞれの担当者の強みを生かしていく。つまりマネジメントの必要性があまり気づかれていないように感じます。

多くの地域農家にとっては、今でも電話やFAXがメインのビジネスツールです。JAとの連絡から受注、スーパーなどの小売りとのやりとりや配送関係まで。同じ地域の若手のネット販売の好調ぶりを聞いたり、消費者から「購入したい」と直接連絡が来たりなど、販売環境が変化してきているのは感じているものの、どこから手を付けていいか分からない。Wi－Fi環境が脆弱な地域が多いことも一因ではあるのですが、お話ししていると、まだまだネット販売はハードルが高いと感じることが多くあります。

それに対し、会社組織は部署ごとに専門分野が分かれています。人事や財務、法務、知財といったセクションは横断的な仕事をこなします。本来は農業も会社のように効率化できればいいのですが、収入が少ないから人も雇えないし、周囲にできる人もいません。ですから全部自分でやって、効率が余計に悪くなるのです。年収2000万円くらいの農家になればこうした作業をする人が雇え、その結果、農業のプレーヤーとしてもう少し効率よく規模を拡大できます。

そして、年収2000万〜3000万円になると、跡継ぎが確実にできます。家族ではなくても「跡を継ぎたい」という志願者が東京などから出てくるので、家族以外の志願者に跡を継がせるという選択肢も生まれます。跡を継ぐほうからすれば、東京での生活と農業を並行してできます。両方、いいとこ取りだってできるのです。これは逆から見れば、都心のビジネスパーソンの副業としても可能性があるということです。

年収2000万円以上の農家は自然に複数のメンバー構成になっています。一部の収穫はみんなでやるにしても、それぞれの作業を効率的に行うことで、出荷して終わりではなく、顧客に対してのアプローチもやろうと思えばできるようになるのです。休暇も取れます。年収3000万〜5000万円くらいの農家も規模としては決して大きくはなく、「手触り感」のある農業といえます。それらがアフターコロナの世界の「小さくて強い農業」の姿だと思っています。

マーケットニーズを意識すれば、地産品の収益はもっと上がる

農作物ばかりでなく、加工品も含めた地産品の利益が低いこともよく指摘されます。生産ロットやロスの問題に加え、適正なポーション（量）や形状、どこで加工するのが一番いいのかが分からない、販路をどう見つければいいか分からないなど、知識不足の問題もあります。

しかし、そもそもすべてにおいて知識を持っている人などいないのです。大手商社のような組織なら各セクションをつないで一気通貫となりますが、量の世界が得意です。地産品はその個性ある味や素材のつくり方に特徴があり、たいがい小規模です。そこを強みにし、収益を上げるヒントはたくさんあります。

7〜8年ほど前、JR東日本の「のもの」という地産品ショップで、お客様と納品者（メーカーや農家）双方にアンケートを取ったとき、重要だと思うポイントで最も大きなズレがあったのが「ポーション（量）」。「少しでも多めに入れてあげたい」という生産者に対し、「ちょっとでいい」というのが消費者の意識だったのです。地方では今でも「量を減らす」ことがサービスの低下と捉えられることが本当に多いと感じます。

こういった事例は現場にいると本当に多く、スーパーなどで日常手にする量産品の表記や形状などにヒントがたくさんあります。つまり、マーケットニーズを意識すれば、地産品の収益はもっと上がります。

「マネジメントやマーケティングに長けたビジネスパーソン」と書くと専門的ですが、会社員としての仕事や都市消費者としての目線を持った「よそもの」が農業に参画することも、これから農業が活性化するための有効な手段ではないでしょうか。

もう一つ、地域での土産物などの開発で気になるのが、意匠としてのデザイン。「パッケージデザイン」と言ったほうが分かりやすいかもしれません。パッケージは確かにパッと視覚に訴えるので重要です。

しかし、ほんの少量の中身を何重にも重ねたパッケージや奇をてらったボトルなどを見かけることもあります。前者はゴミが多く出て地域のサステナブルな良さが伝わりませんし、後者は容器にコストがかかるばかりか店頭で並べづらく、販売者側の状況が分かってないなと感じます。本来必要なのは、考え方から始まり、商品設計から意匠、販路、顧客までトータルでデザイン（設計）できること。それが理想で、地域には古くからの商品でそのようなものが眠っていることも多くあるのです。

農業「6次産業化」の誤解　すべて自前でやるのが唯一の正解ではない

農林水産省は「6次産業化」に力を入れています。6次産業化とは、1次産業としての農林漁業と2次産業としての製造業、3次産業としての小売業などの事業との総合的かつ一体的な推進を図り、地域資源に新たな付加価値を生み出す取り組みで、農山漁村の所得の向上や雇用の確保が狙いです。

「漁をしている人や農家さんは、自分で一気通貫したほうが稼げる」という考え方自体は間違ってはいません。しかし、成功しているところはある程度規模があり、1次と2次、

3次の業務内容が明確化され、メンバーの役割もはっきりしています。一方、1次産業の大半を占める家族経営の規模ですべて自前でやるのは難しい。「餅は餅屋」で1次、2次、3次がアライアンスを組んだほうが不得手な仕事に時間を取られることもなく、それぞれがマネタイズできるのです。

例えば、漁業や農業をしている人たちには、加工や販売の知識があまりありません。どの工場でどういう加工をすべきかは販売する場所や顧客によって変わってきますし、売り方も卸かネット直販か直営店舗を持つのか、1回きりかサブスクリプションのような定期購買がいいのかも、ターゲットや商品の特性、価格帯などによって変わります。

つまり、「こういう人たちにこれを買ってほしい」というマーケットインの発想から商品をつくって売るのが、最も売り逃しがないのです。例えば、イチゴ農家がイチゴジャムを作ってレストランで提供したら6次産業化というのも分からなくはないですが、少し違和感も覚えます。その農家自体は素晴らしいと思いますが、6次産業というのであれば産業として小さくとも一定の雇用を生み出し、地域外への広がりも持つことが必要だと、私は考えています。

一番重要なのは、素材の力です。手塩にかけた素材を産地で加工業者と特産品レベルまで仕上げると、競争力が付きます。味とクオリティーを備えた商品には知名度や価格も連動します。このスタイルの6次産業化は大規模には向きませんが、小規模なアライアンスで可能性を秘めている地域は日本にたくさんあります。

加工でも最近はOEMが増えており、さまざまな商品を簡単に作れる時代。イメージを伝えれば、発注者の好みに合わせていろいろな形状のパターンや味や色、保存期間の調整、さらにはパッケージデザインの提案までお任せでやってくれるところも多く、素人でも商品開発がやりやすくなってきています。

マーケットインの発想であれば、最初に「誰にどんな用途で使ってほしいか、食べてほしいか」というイメージが先にあります。さらに「私がどうしても欲しい」という思いも素材の背景と一緒に伝えられたら素敵だと思っています。

収益に直結するのは「ナラティブなものがたり」

総務省の労働力調査によれば、1次産業の産業別就業者数は1951年で約46%、それが2019年には約3％まで減少しています。さらにGDP構成比では1次産業は約1％にしかなりません。しかし、ここに加工が加わると収益力は大きく変化します。

大量消費、大量生産の時代は終わりました。低価格のための量の世界は一部残るものの、これからは小規模・小ロットが主流になるでしょう。そして成長の価値基準も対前年の売上高を競うのではなく、異なる価値基準が収益や未来の企業価値につながる時代になっています。異なる価値基準とは、人の持つ無形の見えない資産です。

ワインが生産量＝収益力ではないというのは誰もが分かる話です。収益はお客様からの支持の結果と考えたとき、私はそこに必要なのは「ナラティブなものがたり」だと思います。

ここで少しナラティブ※21の話をしたいと思います。

ストーリーは自己完結型です。しかし、ナラティブは聞いた人が他人の話を自分とも関係させ、インタラクション※22します。ですので、ストーリーが一つの結論なのに対し、ナラティブは自分事としての無限の語りが存在します。土地の持つ歴史、つくり手、味、畑、品質、そしてブランド名でも価値は大きく変わります。そして根底にあるのは、その年の気候という自然の力で生み出された素材の力、醸造という伝統的な製法。そこに自らの思いを重ね、ファンになる人もいます。

ワインだけではありません。多くの素材に加工とひも付けられたアイデアやその活用法がまだまだ眠っており、効率化の歴史の中で廃れた製法が、テクノロジーの力も借りてよみがえるものもあります。工業製品ではありませんから、毎年味が違って当たり前でもあるのです。消費者が求めている背景をその地産品から引き出し、上手に伝えることができれば、同じ商品でも収益力は全く違ってきます。

青森県平川市に「釈迦のりんご園」があります。このリンゴ園では最高級品が都心の高級果物店に並び、セカンドラインのリンゴもあっという間にネットで売り切れます。規模はそれほど大きくありませんが、代表の工藤秀明さんは「すべて土作りから」といいます。

化学肥料や除草剤は一切使わず、完全有機肥料。害虫も木酢液などを独自に作り、こまめに散布することで防いでいます。手間はかかりますが、その品質や味が価格に反映され、反収（約10アール当たりの収穫高）は他の農家とは比べものになりません。そして工藤氏のようになりたいという農家が何軒も彼の周辺に集まってきていますが、なかなかその領域には達することができません。

工藤さんも先に触れた久松さんも、後輩たちに続いてほしいとすべてのノウハウをオープンにしています。しかし、同じようにはならない。なぜ、小さくて強い農業はなかなか拡大しないのか。

成功している「小さくて強い農業」の共通点はダイレクトに熱烈なファンを持っており、少人数とはいえメンバーの仕事分担が明確ということでもあります。彼らの農業は小さくても生産性は高く、さらには自分の生き方や思いをものづくりにも反映させています。

「マネジメント」「ナラティブなものがたり」という都市生活者の得意分野が加わることで、農業は大きく変わる可能性があります。常に変化する自然の力を借り、つくり手である農家が加工という個性と共創して生み出す楽しい未来が近づいているのです。

都心在住者が「農業」に魅了される理由

日本を代表する音楽プロデューサー小林武史さんが音楽活動の傍ら、有機野菜の栽培や養鶏に取り組み始めたのは10年以上前のこと。19年秋には千葉県木更津市にサステナブル ファーム＆パーク「クルックフィールズ」をオープンしています。

なぜ、高感度の人たちの多くが農業に魅了されるのか。共通しているのは、ものづくりの奥深さでしょう。同じ土地でもつくり方で出来上がりが変わるだけでなく、天候など自然に大きく左右され、常に同じものはできません。形は不ぞろいであっても味の濃い野菜に驚いたり感動したり。環境とつながる生き方を体感し、同時に入り込むほどに、サプライチェーンの中での商品の流れと、身近なものづくりとの違いに気がつきます。

今まで、農業に参入していた人の多くがこうしたイノベーターでしたが、その活動がよりボリュームの大きい層にも広がっていることを感じています。彼らは生活のための仕事を維持しながら日々のライフスタイルの充実のために農業に携わるタイプと、いずれ独立することも視野に入れながら農業に取り組むタイプの2種類がいます。後者はやりたいことだけでなく、経営面や技術面、仲間づくりなど、トータルで考えているのが特徴です。

こういった形で農業に携わることができるようになったのは、インターネットの普及で情報の習得が容易になり、ＥＣによる初期負担の少ない販売ができるようになったことが大きい。つまり、小ロットでも高付加価値を武器にしたビジネスが可能になったのです。

その要因として、取引先の変化も大きいと思います。例えば、お酒ではマイクロブルワリーやマイクロワイナリー、マイクロディスティラリー（小規模蒸留所）といった小さいからこそ強く個性を打ち出せる工房が作る商品が、その希少性も含めて人気となっています。それらの多くは畑を持ちませんし、一部は都会で工房を展開しています。

ただそのこだわりの強さ故、望む素材を仕入れるために農家に指定の品種を作ってもらうところもあり、農家との結びつきは強い。こうした交流によって、農家は新たな視点を得てつくり手のとしてのモチベーションが高まり、栽培品種の幅が広がっています。一気通貫型の6次産業化ではなく、こういったアライアンスも農業に影響を与え始めているのです。

一方、都心でも農業が身近になっています。レンタル農園が増えており、商業施設の屋上などは以前からすぐに募集が埋まる人気ぶりです。外出自粛中にベランダ菜園を始めた方も多いのではないでしょうか。自分で農作物を育て始めると、意識に変化が起こります。家庭菜園で化学肥料を使っているという人はあまり聞いたことがなく、多くが有機肥料や家庭の生ごみを堆肥化して野菜を作っています。

土に目が行き始め、もともと持っている自然の力で、健康な野菜をどう作ろうかと考えるようになります。虫や病気との戦いもしかり。化学肥料や農薬の便利さやコストを知ると同時に、それを使わない栽培の手間も学ぶことになります。さらに、見た目の美しさにこだわらなければかなりのことができること、傷や虫がついた野菜もおいしいことを発見し、共存する虫を大事にするゆとりも生まれます。

デジタル化が進むほど、人は「手触り感」を求める

テレワーク、オンライン教育、オンライン診療、ハンコのデジタル化など、コロナ禍をきっかけに日常生活のデジタル化が一気に進みました。一方、デジタル化が進めば進むほど、実体のあるタンジブルなもの、「手触り感」のある体験や商品がより価値を持つようになります。八百屋や肉屋、魚屋、豆腐店、花屋といった昔ながらの店舗に新鮮さを感じる若い世代が増えているのはそのためでしょう。

若い店主がこれまで見たことのない野菜や総菜の詳しい説明をしていたり、デリバリーやネット注文体制が整っていたりと従来の店舗スタイルそのままではないにしろ、対面販売や手書きＰＯＰ、店頭に山積みされた陳列、顧客と会話をしながらの量り売りやカット販売といったスタイルは今こそむしろ新鮮です。効率化したい部分とほっこりしたい部分、時間をかけたい部分とかけたくない部分を明確に使い分ける人たちが増えていくように感じています。

農業もまた自然に囲まれた中での仕事であり、農作物が日々成長するという「手触り感」があり、ほぼすべてが〝見える化〟されています。そしてその奥に文化や歴史といった琴線に触れる存在があります。忙しい高感度な人たちが農業に魅力を感じる理由の一つかもしれません。

長寿番組「ザ！鉄腕！DASH!!」が投げかけるメッセージ

私が好きなテレビ番組に「ザ！鉄腕！ＤＡＳＨ!!」があります。１９９５年にスタートし、東日本大震災など世の中の変化も取り入れるなど、楽しみながらも学ぶことが多い番組です。ご覧になっている方も多いと思いますが、DASH村では稲作や野菜作りだけでなく、家畜の役割など、昔の農村で当たり前だったサステナブルな生活が展開され、そこに新鮮さを感じる若い世代と懐かしく感じる60代以上の世代が共存しているのです。

09年からスタートしたDASH海岸では、コンクリートと工場に囲まれ、ゴミとヘドロに汚染された一帯に干潟をつくることからスタートしています。身近な生物がよみがえってくる姿から、環境問題が遠い課題ではなく、自分の身の回りでもできることがたくさんあるというメッセージが込められているように感じます。

経済学者ケイト・ラワース氏は著書『ドーナツ経済学が世界を救う』の中で、古い経済理論から始めるのではなく、人類の長期的な目標から始め、その目標を実現できる経済思考を模索し、ドーナツ型の経済フレームにたどり着きます。そのドーナツは社会的な境界線と地球環境的な境界線の2つからなり、「社会」と「環境」という人類全体の幸福を支える条件をシンプルにビジュアル化しています。そして、経済は成長し続けるのではないから、設計による環境再生的経済に向き合うべきと提唱しています。

世界の経済構造となると壮大なことのように思えます。しかし、まず自分自身が口にするものを、「環境に負荷をかけない農業」から消費することは、決して不可能ではありません。この視点からも、農業に心を引かれる層が広がってきていることは、自然な流れと言えるでしょう。昔のワイナリー経営は富の象徴だったかもしれませんが、今は会社員だった人が脱サラでワイナリーをつくっている例も少なくありません。

私の友人にもサラリーマンを卒業してワインやチーズ、ハム、ジャムづくりなどを始めた人が何人もいます。彼らのビジネスはまだ小さいですが、そこから周辺にパン屋やレストラン、宿もでき、観光地化し始めているという話をよく耳にします。ネットで商品を購入した顧客が興味を持ち、旅行先として訪ねてくるのです。その思いや情熱に共感を抱き、支援する人たちも着実に増え、コロナ禍でも売り上げが伸びたと聞きました。

多様化する農業は面白い

地域活性化という広い分野で仕事をずっと続けていきたいと思う気持ちは、42歳で地域活性化の担当になったときからでした。ここでの仕事を通じ、「よそもの」が入り込むことで地域が変化し、うまくいき始めると地域自らがさらに多くの人を巻き込んで好循環で回り出す姿を見て、言葉にできない幸せな気持ちになりました。これは数字面で成功したときとは異なるうれしさでした。

例えば青森では、シードルに興味も示してくれなかった昔が嘘のように、現在では若手の農家たちが加工の腕を競っています。すでに青森のシードル事業に「よそもの」は必要なくなったのです。

自分で会社を立ち上げるに当たって目指したのは、「地域の1次産業を元気にする」こと。私は特に日本の農業には大きなポテンシャルがあると思っています。日本は自然環境に恵まれていますが、農林畜水産などの1次産業はGDP（国内総生産）の約1％が実情。生産効率を高めたければ、均一な工業製品を自動化して製造することが最善になります。しかし自然界に直線の世界がないように、自然の姿を変えなければ流通規格には合わず、合わせるときに不自然な「何か」が加わります。

自然の作物がいつの季節でも手に入るのも不自然です。人々の豊かさの指標が金銭から人との関係性に変わり、寄付や支援は富裕層だけなく日常の中でできる範囲で行うものに変化しています。そんな時代に、素材に恵まれた地域には新しい人材「よそもの」を引きつける魅力が多く眠っているのです。

やってみて分かった小ロットの課題

いつかものづくりにも携わりたいと思っていましたが、20年12月に「ひとつひとつ」というECサイトを立ち上げました。ここでも実務の知識不足を痛感し、多くのことを学びました。

扱いたい素材は10年越しに興味を持っていた品種のリンゴに決め、まずは農家さんに譲ってもらえるように交渉。搾汁工場は青森に無数にあることを知っていましたが、衛生管理から最小ロット、選べるボトルやキャップの種類(プルタブ、王冠、スクリューなど)、オリジナルのラベル添付や裏面表記ができるかなど条件に合うところを追い求め、何社も回ることになりました。これまではデベロッパーとしての売り場づくりやバイヤーとしての仕事をしてきましたが、実際やってみて初めて、小ロット製造の課題が分かりました。

販売については、今は少ない初期コストで気軽に始められるＥＣプラットフォームがたくさんあるので、簡単に考えていました。しかし、ＥＣサイトとひも付けて物流やカスタマーサポートの契約も必要になります。昔に比べたら圧倒的に安いコストで気軽に始められるのは確かでしたが、月間どのくらいの量を販売したいかで選ぶべき仕組みが異なります。

産地では旬の時期に大量に農産物が収穫できますが、多くの地域で「加工」に重きを置いていないので、ここの部分のマネタイズもできていません。産地にこそ片手間での一次処理場ではなく、小さくて質の高い一次加工場が必要だと考えています。果実が熟したものは移動が困難です。きちんとした加工がなされれば、一次加工品としてだけでなく、素材として二次加工することもできます。同じ農産物の収益が2重3重になるだけで所得は大きく変わります。

さらに、付加価値を高める2次加工は、他社とのアライアンスを考えています。できるだけ産地に近いところでそれができるようになることが理想です。

私は講演やアドバイザーの仕事もしていますが、その中で重要なのは、現場が自分事と

郵便はがき

料金受取人払

葛西局承認

2100

差出有効期間
2021年12月31日
まで（切手不要）

134-8740

日本郵便株式会社
葛西郵便局 私書箱20号
日経BP読者サービスセンター
『「よそもの」が日本を変える』係 行

ご住所	〒□□□-□□□□ □自宅 □勤務先 （いずれかに☑印を） （フリガナ） TEL（ ） —	
お名前	姓（フリガナ）	名（フリガナ）
Eメールアドレス		
お勤め先	（フリガナ） TEL（ ） —	
所属部課名	（フリガナ）	

※ご記入いただいた住所やE-mailアドレスなどに、DMやアンケートの送付、事務連絡を行う場合があります。
このほか「個人情報取得に関するご説明」（https://www.nikkeibp.co.jp/p8.html）をお読みいただき、ご同意のうえ、ご記入ください。

『「よそもの」が日本を変える』

より良い作品作りのために皆さまのご意見を参考にさせていただいております。ご協力よろしくお願いします。(ご記入いただいた感想を、匿名で本書の宣伝等に使わせていただくことがあります)

A. あなたの年齢・性別・職業を教えて下さい。
年齢(　　　)歳　　　性別　男・女　　　職業(　　　　　　　　　　)

B. 本書を最初に知ったのは
1. テレビを見て(番組名　　　　　　　　　　)
2. 新聞・雑誌の広告を見て(新聞・雑誌名　　　　　　　　　　)
3. 新聞・雑誌の紹介記事を見て(新聞・雑誌名　　　　　　　　　　)
4. 書店で見て　5. 人にすすめられて　6. インターネット・SNSを見て
7. その他(　　　　　　　　　　)

C. お買い求めになった動機は(いくつでも可)
1. 内容が良さそうだったから　2. タイトルが良かったから　3. 表紙が良かったから
4. 著者が好きだから　5. 帯の内容にひかれて
6. その他(　　　　　　　　　　)

D. 本書の内容は
1. わかりやすかった　2. ややわかりやすかった　3. やや難しかった　4. 難しかった

E. 本書に対するご意見・ご感想、ご要望などありましたらお聞かせください。

ご協力ありがとうございました。

NXR書籍

してやる気になってくれることです。会社員時代から変わりませんが、自らが汗をかいてやった経験ほど伝わるものはないと感じています。何より重要なのは、行動です。共感しても行動に移さなければ、役に立たないままで終わります。

日本の流通構造にはまらない素材の価値を伝えたい

まだスタートしたばかりですが、商品はメッセージ性が高いもの、その背景をしっかり伝えられることを軸に展開していきたいと思っています。最初にリンゴを選んだ背景には、日本の流通構造にはまらない素材の価値を伝えたいという思いがありました。

現在日本で最も多く生産されている品種は「ふじ」。全生産量の50％以上を占めますが、実は日本には2000を超える品種があるといわれています。「より甘く、より大きく、より見た目良く」を求める市場。昔ながらのリンゴは小玉で酸味が強く、皮に傷がつきやすいなど効率生産や大量生産には向かないものも多く、姿を消しつつあります。例えば、アップルパイ用として人気の「紅玉」。小玉で酸味が強いことから、出荷量が30年前の1割以下に減少しています。

そんな中で選んだ「御所川原」は青森県五所川原市だけで生産される果肉まで真っ赤な小玉のリンゴ。栄養素も希少価値も高くて酸味も個性的です。「千雪」は逆に酸味がない甘いリンゴで、世界的にも珍しい褐変しないという特徴を持っています。

「グラニースミス」は欧米ではアップルパイの定番。パンチの効いた酸味が、コクのあるリンゴの味を引き立たせます。ブレンドされた甘いリンゴジュースが主流の中、食事にも合うキリッとした酸味のリンゴジュースを好む人は必ずいる、とお酒が苦手な友人との会食のときに感じました。いずれもが本当にわずかな栽培面積で、この素材の存在を知るパティシェや消費者からは人気。生食用もネットでは売り切れが続きます。

そしてもう一つ、緩衝材として使っている「もくめん」は間伐材からできています。昔はフルーツなどの緩衝材として一般的でしたが、今は塩化ビニールやポリエチレンが主流となり、もくめんの専業会社は日本に1社しかありません。この緩衝材も再利用できるようにヒノキを選び、サシェ(香袋)も付けました。

今後一緒に働く「よそもの」の仲間がもっと増えたら、希少価値のある産物や在来種だけでなく、廃棄されてしまっている資源や規格外品の商品開発もスタートしたいと考えています。その商品を通じ、農産物を育てたり加工したりしている人々の思いや産地に少しでも興味を持ってもらい、実際に足を運んでもらえるきっかけになったら素敵だと思います。

1次産業のものづくりは里山の景観とも深くつながり、観光とも連動します。立場の異なる多くの人がそれぞれの地域での商品開発に「よそもの」として関わり、そこから新しいコミュニティーやビジネスが広がっていくという夢を描いています。

「半サラ半農」を実現するには

「半サラ半農（半分サラリーマン、半分農家）」に興味はあるが、地域に地縁も人脈もないという方も多いでしょう。実はさまざまな地域の自治体が移住者への多彩な支援策を講じています。気になる地域の公報を定期的にチェックしてみるのも一つの方法です。

特定の地域への希望がない場合は、一般社団法人移住・交流推進機構による「自治体支援制度検索」というウェブサイトもあります。これは、全国の自治体が行っている【子育て支援】【住宅建築補助】【起業支援】などの各種支援制度を検索できるサイトです。

また、総務省が都市部から地域への定住・定着を図るための取り組みとして行っている「地域おこし協力隊」を利用する方法もあります。総務省では、地域おこし協力隊員の活動に要する経費として、隊員1人当たり440万円を上限として財政措置を行っています。

隊員は各自治体の委嘱を受ける形になり、任期はおおむね1年以上、3年未満となっています。任期中は、自治体・サポートデスクなどによる日々の相談、隊員向けの各種研修などさまざまなサポートを受けることができます。また任期後は、起業希望者向けの補助制度もあります。具体的な活動内容は募集自治体によってさまざまですが、

・地域ブランドや地場産品の開発・販売・PRなどの地域おこし支援
・農林水産業への従事
・住民の生活支援

などが多いようです。

地域おこし協力隊になるには、公式サイトにアップされている自治体の募集情報をチェックし、直接申し込みます。自治体による選考（書類選考、面接など）の結果、採用が

決定します。

例えば21年2月10日付けで配信されているのは、高知県大川村の募集情報。人口400人という、離島を除いては日本一人口の少ない村で、村民だけの力では人口を維持するための村づくりが難しい状況にあるため、集落の活性化や産業の振興における新たな展開を目指し、地域おこし協力隊を募集しているのです。募集している職種は畜産業従事者、集落活動センター事業従事者、ふるさと留学指導員、保育士、林業従事者、村づくり業務など多岐にわたっています。勤務日数は月16日間（原則週4日間）で、月額報酬として16万5040円、期末手当として年間で上記月額の2・55月分などと、労働条件や求められる資格、スキルも具体的に明示されています。

また、自身の情報を登録しておいて自治体からのスカウトを待つ「隊員希望登録マッチングシステム」もあります。地域おこし協力隊の希望者情報のデータベースとして蓄積し、隊員を募集している自治体や、募集を検討している自治体が閲覧できるシステムです。

19年度で約5500人の隊員が全国で活動していますが、総務省ではこの隊員数を24年度に8000人に増やすという目標を掲げて、さまざまなPR活動を行っています。

さらに総務省は21年度から、外部専門人材、地域、行政、民間といった関係者間を橋渡ししつつプロジェクトをマネジメントできるブリッジ人材を「地域プロジェクトマネージャー」として自治体が任用する場合の支援措置も創設するそうです。

農業は女性にとっても参入しやすい分野ともいえます。就業人口も経営参画も5割近く、特に加工や販路のアイデアは、女性の得意分野なのです。

※21　ナラティブ…商品が持つ世界観や開発者の苦労や工夫に焦点を当てた物語性の強い訴求方法。

※22　インタラクション…人やものなどがやりとりをすることで相互に作用すること。

ECサイト「ひとつひとつ」第1弾商品は「御所川原」「千雪」「グラニースミス」という3種の希少なリンゴを使用したジュース

対談

「小さくても強い農業」の条件

久松農園代表　久松達央氏

フィジカルな能力や技術よりも「立地」が命

鎌田由美子（以下、鎌田）　農林水産省の「スマート農業（ロボット技術やＩＴなどの先端技術を活用し、超省力化や高品質生産を可能にする新たな農業）」が、日本でも広がりを見せています。そうした〝大きい農業〟も確かに必要ですが、アフターコロナの世界では小さくても強い農業に大きな可能性があると思っているんです。久松さんが実践されているような「小さくても強い農業」がもっと増えてくればいいなと思っているのですが、なかなか広がりづらい。なぜでしょうか。

久松達央氏（以下、久松）　収益を上げるための鍵が、栽培方法とか販売方法といった「内部条件」ではなく、「外部条件」にあることに気づいていない人が多いからです。「小さい農業が成立する条件は何なのか」というところから考えていったほうが科学的なんですね。

鎌田 「小さい農業が成立する外部条件」とは何でしょう。

久松 一番大きいのは「立地」です。都市に近いかどうか。それが必要十分条件とは言わないけれども、十分条件であるケースが多いというふうに思います。一例を挙げると、以前、京都の農家を訪ねたんですけど、素晴らしかったんですよ。風景も素晴らしいし、野菜の出来が良くて。栽培規模は小さいんですけど、単位面積当たりの売り上げが非常に高いんです。

鎌田 それは、栽培している品種が違うんでしょうか。

久松 そうではなく、無駄なく売り切っているんですね。生産条件としては全然良くないんです。水はけが悪くて扱いにくい土質ですし、圃場（ほじょう、農産物を育てる場所）が狭いから機械化はできないし、作業性も決して良くない。だから生産効率を一番のKPI（重要業績評価指標）にしたような農業は絶対できないところなんですよ。でも僕から見て、小さくて強い農業をやるにはすごくいい条件。一番の理由はクルマで30分も行けば京都市という人口140万人を超える大都市があり、意外と地元のものを買う人が多いといった条件がそろっていることです。

鎌田　なるほど！　大消費地が近くにあるということですね。

久松　埼玉県入間市も似たような条件に恵まれていて、スーパーマーケットの直売コーナーを店舗と生産者が一緒になってつくり上げている。意識の高い消費者が徒歩圏内にたくさん住んでいる神奈川県の茅ケ崎などにもレベルの高い生産者が育って充実した朝市を形成している。このように、都市型農業がうまく成立する条件があって、そこにちゃんとアジャストできる生産者がいる地域は、小さくて強い農業の理想の形がつくられています。

ここ茨城県土浦市で都市型農業をやろうとすると、60～70キロメートル離れている東京が主なマーケットになるから、宅配便で送らざるを得ない。その送料を払ってでも買いたくなる商品にするためには、「久松農園」という形でブランディングしていくしかないんです。京都や茅ケ崎のような方法はとれない。ローカルtoローカルで宅配サービスを利用するということは、流通のスケールメリットを完全に無視した形だから。

周りにいいお客さんがたくさん住んでいる立地だと、生産性の高い栽培に取り組まなくても成り立つわけです。少々下手でもいいから、つくりたい野菜に素直に取り組める環

久松農園代表の久松達央(ひさまつ・たつおう)氏。1970年茨城県生まれ。94年慶応義塾大学経済学部卒業後、帝人を経て98年に茨城県土浦市で脱サラ就農。年間100種類以上の野菜を有機栽培し、個人消費者や飲食店に直接販売している。補助金や大組織に頼らない「小さくて強い農業」を模索。他の農場の経営サポートや自治体と連携した人材育成も行っている。著書に『キレイゴトぬきの農業論』(新潮新書)、『小さくて強い農業をつくる』(晶文社)。

境が整っている。それなのに、今新しく農業を始める人は、栽培方法とか品目とか、有機かどうかみたいな表面的なことを意識して、そこばかり掘っていくからうまくいかないということはあると思います。小さくて強い農業では、同業者の評価なんかどうでもいいんです。自分が素敵だと思うものを、分かってくれる人に届けられるのですから。

栽培品目が多種類のほうが成功しやすい

鎌田　他にもそういう「小さい農業」を成立させるために必要な条件はありますか。

久松　いくつかあります。所属コミュニティーとか、さまざまなサポートサービスの存在とか。それは多くの方がイメージされているより細かいことなんですが、そこを掘り下げていかないと何の解決にもならない。逆に言うと、地域や農業の種類、人の能力など、小さくて強い農業が成り立つ条件は規定可能だと考えるべきだと思う。それが具体的に何なのか、僕にはまだ分かりません。でも答えはあるはず。言い換えれば、成立条件を満たしていない場所では絶対にできないし、できないタイプの品目ではできない。例えば、「僕はサトイモだけの小さくて強い農業でやっていきたい」と言っても、成立しないでしょう。どんなにおいしいサトイモであろうと、消費者はサトイモをそんなに高く買ったり、たくさん買ったりはしないですから。

鎌田 そうすると、「都市近郊」という立地条件と同時に、「多品目栽培」じゃないとそもそもだめということでしょうか。

久松 そこはもうちょっと厳密に定義したい。多品目じゃないとだめってことはないんだけど、そもそも野菜は毎日食べるものですよね。どんなにおいしい大根でもそれは西洋梨を食べるようなスペシャルな感じでは食べないので、日配品として購入者の食卓を埋めないと経営的に成立しない。毎日食べるようなもので、消費者の買い物パターンにうまく組み入れられることは絶対に必要だと思う。

そうすると、やっぱりワンストップでいろいろ手に入らなきゃしょうがない。キャベツや小松菜は普通にスーパーで買うけど、サトイモだけお取り寄せするってことは一般的にはあり得ないわけですよ。従って、八百屋さんや小売店で買えるなど、何らかの形でそこまで手間とコストをかけずに入手できることが担保されないと成り立たないんです。

鎌田　単一品種だと、より経営が厳しくなる傾向は強い？

久松　そうなんです。なぜかというと、単一品種だと消費者側に購入のための負担を強いるから。僕は実際に、農家の販売管理の側にも深く入っていっていろんなアドバイスしてきたんですけど、季節性があって味で売るような果物とかアスパラガスといった贈答ニーズがあってお取り寄せに向くものと、日配品ではもう明確に販売管理が変わってくるんですよね。「ハレ」なのか「ケ」なのかっていうのは非常に重要な違いで、そこは混同していけないような気がします。

普通の野菜をハレに持っていくのは無理ですし、僕は農業者としてそれをやりたいとは思わない。「1年に1回食べる白菜」みたいな路線だと、広がりがないじゃないですか。やりたいのは分かるけど、なかなか1玉5万円の白菜と言われても、「それ誰も買わないでしょうよ」って言われるだけ(苦笑)。500万円の売り上げを1玉5万円の白菜を買う人100人で構成しても、だから何なのさっていう感じになっちゃうんで。日配品として成立させる方法を考えないと、ビジネスとしては厳しいと思います。

鎌田　確かに野菜のほとんどはハレに行かないですね。でも日本はフルーツがギフトになります。世界を見ても、フルーツがここまでギフトになる国はほんのわずかで、少なくとも欧米ではフルーツにギフトのイメージはありません。

久松 最大の違いは気象条件だと思う。日本で果物がつくりづらいんですよ。確かに青森の弘前のリンゴとか、三ケ日みかんとか世界的に見ても極端に果樹の栽培に向いている地域はあります。だけど、オーストラリアみたいな、リンゴの木を植えておけばある程度素人にも取れちゃうような国に比べると適地が圧倒的に少ないので、基本的に果物はつくりにくい。そして、雨が多いので軟らかく繊細にできる。加えて、マーケットが甘さや軟らかさを好むのでより繊細なものづくりになる。だからハレに行かざるを得なかったっていう側面はあると思います。

鎌田 日本では手をかけないと育たないし、農薬もある程度は使わないといけない、ということでしょうか。

久松 どこにでもリンゴの木があって、水を飲む代わりにリンゴをかじっているような国から見ると、日本は非常に繊細なマーケットになってしまっている。「傷がついていない」「大きくて美しい」といった方向に生産がアジャストしてきた。海外ではこんなに色や形にこだわらない。野菜に関しても似たようなことが言えます。

鎌田 でも、それってマーケットや消費者のニーズともちょっとずれていると感じます。

消費者だってそこまでまっすぐなキュウリを欲しいかというと、別に曲がっていたっていいわけですし、不ぞろいの産直も人気がある。

久松　規格が細かくなっていった背景には、純粋な消費者のニーズだけでなく、全体に供給過剰になる中で、流通・小売関係者が価格を維持するためにいろいろ勝手に品質基準をつくったっていうふうな意図的な要因もあるのではないでしょうか。

良いコミュニティーに所属し、深く根を張る

鎌田　「近郊エリアに消費地があること」「多品目をつくること」の他に、成功しやすい条件は？

久松　「コミュニティー」です。これだけの情報化社会であっても、良いコミュニティーに所属しているかどうかが明確に大きく成否を分けていると思います。どういうコミュニティーやネットワークとつながっているかによって、情報だけでなくいろんなノウハウの蓄積に差が出てくるんです。

コミュニティーキャピタルという言葉が最近あります。個人が持つヒューマンキャピタル（人的資本）ではなく、社会全体が享受できるソーシャルキャピタル（社会資本）でもない、特定のコミュニティーに蓄積されている資本がコミュニティーキャピタル。農業の例でいうと、JAの生産者部会は地域の重要なコミュニティーです。

一方、有機農業者は地域を超えて独自のネットワークを形成していて、ノウハウの蓄積があります。有機農業の一番の価値は栽培方法ではなく、そのネットワークにあるんだと、僕はもう最近強く信じるようになってきている。有機農業そのものが優れているのではなく、面白い農業をやっている人たちのコミュニティーに属することに大きな意味がある。物事を相対的に見るような視点があったり、地域横断的な交流が深まりやすかったりという。

鎌田　すごく分かります。「有機」ってなると、有機を軸にいろんなエリアとのアライアンスがどんどん出来上がってきますが、「農業」では軸が太すぎてできないということですね。

久松　そういうこと。だから鎌田さんが「小さい農業には周囲とのアライアンスが重要」っておっしゃっている言葉の意味を僕もずっと考えているんですけど、緩やかなネットワークの中に身を置くとか、そのコミュニティーに触れるっていうことに非常に価値がある。

鎌田　アライアンスはその時々でくっついたり離れたりするわけですが、コミュニティーのほうは皆がそれを生業としてやっているので、深いですよね。

久松　ＪＡなどの地域に根差すコミュニティーは、当人たちにも見えやすい。農業の成立条件として分かりやすい。しかし地域横断的なコミュニティーは、その存在そのものが見えにくいため、当人たちにはそんなに自覚がない。僕もかつては自覚がなかった。しかし、自分が触れている人脈は農業経営そのものに大きくプラスになっています。

鎌田　有機農業をやっている方々とのつながりというのは、まさにコミュニティーキャピタルですね。

久松　ただ有機農業っていうくくり全体が良きコミュニティーかっていうと、そんなことは全然ない。大切なのは、そこに対する根の張り方ですよね。ワインの木でいうと、Ａ層にだけ根を張っているのかＢ層にまでいっているのかで全然違うわけですよ。そのコミュニティーのどこに根を張るかを嗅ぎ取る力は必要。

それはセンスの問題だと思うんですね。だから、『世界のエリートはなぜ「美意識」を鍛えるのか？』著者の山口周さんの話は面白いなってすごく思う。どこに根を張るかのセンスというのは、スキルとかノウハウのような定義しやすい能力ではない。かといって生まれ持ったパーソナリティーでもなく、その中間の何かだと思うんです。コンピテンシー（高い業績や成果につながる行動特性）とかっていう言い方があるけど、そういう定義しにくい部分に属する人の能力があって、これが決定的な差を生む。高いコンピテンシーを持った人が小さいコミュニティーの中に1人いると、その人がハブになって他のコミュニティーにも好影響を与えるでしょう。

鎌田　でも私の経験からいって、そういう人は大企業では浮くんですよ。異物感があって（笑）。

久松　僕もそうかもしれない（笑）。ですけど、うちの社員は僕がハブになることで日本中の素敵な農業者のネットワークに触れられるでしょう。うちだけでは持ち得ない高い教育効果を持つ方たちが団体で社員教育してくれているわけで、これも大きいんですよ。この社外データベースから引き出せるものの意味が分からない人は論外ですが、分かっていてもなお、これを生かして他に応用する力がある人とそうじゃない人とに明確に分かれるんですよね。僕はそれを提供してあげるハブになって、みんなを動かす電気を通してあげること以外は何もできないけど。

鎌田　久松農園で学べるということは、ものすごく大きいと思います。そういうネットワークを持ちつつ、プラスアルファで自分の時間で学べるし、聞きに行くことができる人が久松さんのところに集まっているわけで、それはすごいことですよ。前に「もう少しビジネスのスケールアップをしたほうがいいのでは」というお話をさせていただいたんですが、でも金額以上にネットワークとか、金銭価値じゃないところで自分のスケールアップをしていったほうが絶対ハッピーな人が増えると思う。

レタスの収穫だけでは人は育たない

鎌田　農業にはフィジカルな能力が必要というイメージも強いです。でも久松さんのように小さくて強い農業をやっている人たちの仕事って、フィジカルな部分は一部ですよね。だって消費者と直接つながろうとすれば、いろんな作業が出てくるわけですよ。素敵なフライヤーをつくってそこに農作物の紹介文も書かなきゃいけないし、農作物の袋詰めから段ボールに詰める人だっているだろうし、受発注からカスタマーサポートもいると。そういった仕事をトータルに考えずにもうかるようになるのはちょっと難しいんじゃないかなと。

久松 僕がフィジカルな部分に関心がないのは、それだけでは豊かな人を育てないからですね。僕は「レタス農家で10年働いたから、レタスの収穫がめっちゃ早いです」というような人を育てたいと思っていない。もちろん、作業にたけていることは重要です。しかしそれだけで、いい農業者が育つとは全く思いません。会社が大きくなって10人だった従業員が20人になる。でもその20人はレタスを収穫するだけの人っていう形を僕は全く美しいと思ってないんですよ。大事なことは、一人ひとりが何のために農業をやるのか、何を美しいと思うのかを考え続けることではないでしょうか。

鎌田 それってやっぱり企業も一緒ですね。分権化して、おのおの自主性に任せているから、みんなでその会社の当事者意識を持った経営ができるという。そういう組織体であるっていうことは「強い」って感じます。

久松 強いというか、そこにいい人材を育てる可能性があると思うんですね。今、僕の下は31歳、その下は27歳、その下は26歳ですけど、みんな頭いい子たちだから、うちが終身雇用を導入してどんどんどんどん給料が上がっていくみたいな形を取るのがどれだけ無理か、あるいはそれによって何か大事なことを犠牲にしなきゃいけなくなることが分かっているんですよね。そのうえで何をやっていったらいいか。「やっぱり時間効率を上げたいよね」「給料上がらなくていいから週休3日にしてほしい」とか、そういう議論になっていきやすい。

鎌田　今、ワーケーションもそうなんですけれども、そういうところに東京の人たちが入って来やすいのではないかと思います。最初は関係人口（「定住人口」でもなく、観光に来た「交流人口」でもない、地域や地域の人々と多様に関わる人々のこと）かもしれないけれども、そういう人たちが週2回くらい、最初は農家の手伝いかアルバイトみたいな形で農業に携わり、地元にはないノウハウを持った人たちが入ることで農業が活性化すると思うんです。ネットのことを全く知らず、というより苦手意識からの拒絶反応で、いまだにやりとりはＦＡＸがメインというところも多いわけですから。

久松　ただ、1社だけでやろうとすると難しいんじゃないですか。小さくてとがっていけばいくほど、抱えられるものが少なくなっちゃう。だからやっぱり、横に広がりがないといけない。久松農園みたいな会社が10社あると広がる可能性が出てくる気がします。

農業は最高に知的で、面白いゲーム

久松 うちに来てみると分かるけど、何かシステマチックにできているとかそういうことじゃないんだけど、違う面白さがあるかもしれない。うちの従業員もまさにそういう感じで来るんですよ。僕の本を読んで、「この人は普通に考えたら、植物工場とかに行くはずなのに、行かないってことは何かあるに違いない」ってだまされてくるんです（笑）。でも、仕事をくまなく見ながらみんなで議論して進めていくという点では、農業は非常にやりやすいんですよ。農業は何もかも見える形でやっているんですよね。トヨタが屋根のない工場で自動車をつくっている、みたいなことだから。だから隠せないことがあるんだけど、みんながオープンにやっているところが非常に面白い。マージャンでいうとオープンリーチみたいな感じ。何待ちだかがもう皆分かっていてやっているっていうのが、すごく面白いゲームだと思っているんですよね。

そんなふうにオープンかつ複雑なのも、農業の面白さ。栽培だけとっても複雑で、説明変数が多くて、何がどう生育に寄与しているかがはっきり見えない。ある農家に聞くと「ポイントはこの堆肥です」とか言うんだけど、変数でいうとそれよりも寄与率がはるかに高いのが温度や土質などの人が関与できない所与条件だったりする。そこに可能性を感じるし、数学的にすごく面白いと思っている。課題が明確にならない。何が課題なのか一言で言えないものっていうのはやっぱり、考えるに値するじゃないですか。答えのない問いに挑むことが本当の知性だと思うんです。

僕は慶応大学の経済学部を出て、上場企業に入りました。そのときに知り合った友人たちに「おまえらの知性をもっと発揮できる場があるぞ」「もっと難しい問題にチャレンジしろよ」と言いたい。すごく素敵で面白い課題が世の中にいっぱいあって、鎌田さんみたいにそこに果敢にチャレンジしている人もいる。「面白い知性」ってそういうもんなんじゃないのって。最近そこに気がついて課題認識がより深まったし、僕がやることの意義が見えてきたような気がしているんです。

6章

「よそもの」が観光も変える

トーマス・クックの破産が象徴する、旅行業界のデジタル化

コロナ禍直前まで、観光業界はインバウンド増加に伴い、業界全体が好景気に沸いていました。12年の調査では全国の観光地における観光業従事者は約845万人、売上高は年間約90兆円という規模でしたが（「平成24年観光地域経済調査の概要」より）、2019年版観光白書では宿泊業の雇用、賃金が増加。宿泊業の従業者数は12年からの6年間で8万人、14・5％増加し（特に女性、高齢者の従業者数の伸びが大きくなっています）、宿泊業の平均賃金は6年間で11％上昇しています。さらに従業員1人当たりの売上高は4年間で13・8％増加と、生産性も向上していました。しかしこのように成長し続けていた観光業界もまた、新型コロナウイルス感染症の拡大で大きな打撃を受けているのはご存じの通りです。

1851年のロンドン万博で団体旅行を企画・実施し、「世界初の旅行代理店」とも言われてきたトーマス・クックが2019年に破産申請をしたことは、旅行業界に大きな衝撃を与えました。業績悪化の大きな要因の一つが、デジタル化の遅れともいわれてい

ます。

旅行業界はすでにデジタル化が進み、飛行機や宿の予約を多くの人はネットで行うのが常識になっています。その価格を比較するウェブサイトも、もはや一般的になっています。販売側にとってもしかり。ビジネスホテルではチェックインとチェックアウトは機械だけという施設も増えていますが、部屋の快適さや利便性に遜色はありません。いまや問い合わせはＡＩ（人工知能）のチャットボットで返せますし、施設でも深夜のサービスはなくしてセキュリティーだけにしているところも多くなっているのです。

その一方、旅行代理店の店頭には多くのパンフレットが並び、手間のかかる手配旅行を旅行会社のスタッフが、丁寧に時間をかけてやってくれています。確かに単純な往復やパック旅行ならともかく、複数の海外都市を好みに合わせてカスタマイズしたいようなときに、店頭のサービスは本当に便利です。代理店は顧客ができないことを代理でやってくれますから、その役割の対価としての収入が大きくて当然なのですが、残念なことに実際の収益構造はそうはなってはいません。

部屋の値付け、原価計算、稼働率、問い合わせなどは、人海戦術でやっているのが現状ではないでしょうか。観光地で多く見られる入場券もしかり。入場券の販売、そして回収は人手がかかってデータ化できません。今後は事前予約や当日の購入もスマホでのQRコード決済にさらにシフトしていくことでしょう。

「よそもの」が観光地に新たな風を吹き込む

一方、後継者不在の旅館や古民家を改修して活用したり、地域の資源をふんだんに取り込んだランドマークをつくったりなど、近年はその土地の持つ文化に「よそもの」が新しい価値観を持ち込み始めています。それらの施設は比較的高価格帯にもかかわらず、コロナ禍前には予約が取れないほどの人気でした。ここにリーケーション拡大や人の移動の増加が加われば、より強い観光資源となるはずです。

〝晴耕雨読の時を過ごす、田んぼに浮かぶホテル〟というコンセプトを掲げる「ショウナイホテル スイデンテラス」(山形県鶴岡市)もその可能性を感じた施設の一つ。「ＣａｓａＢＲＵＴＵＳ」(マガジンハウス)の表紙にもなり、庄内を知らなかった多くの人の目も引きました。世界的建築家・坂茂氏の建築は、水田に浮かぶような建物で景観と一体化。一度見たら忘れられないような光景が旅への期待をそそります。さらに運営する会社に地元の企業や住民が出資するなど、まさに地域とつくり上げる施設だと感じました。ここを運営するヤマガタデザインの山中大介代表は東京都出身。大手不動産会社を経て、庄内地方に移住しています。

「里山十帖」（新潟県南魚沼市）は、雑誌「自遊人」を出版し、米作りを始めてオフィスを南魚沼市に移転した岩佐十良（とおる）氏がプロデュースしたライフスタイル提案型複合施設。豪雪地帯のど真ん中の雪深い場所の古い建物をリノベーションし、地域の伝統的な食材や料理を提供。高く評価されています。1万2000冊を超えるという本を好きなだけ読める旅館「箱根本箱」（神奈川県箱根町）も大人気で、「松本本箱」（長野県松本市）も開業しています。女性1人でも快適に泊まることができ、日ごろの疲れと時間を忘れてしまうぜいたくを味わえる旅館です。

こうした新しい価値観を打ち出す宿はこれからも増えそうですが、一方でテレワークは今後も一部定着し、通勤や出張は減ることが想定されます。密を避けるため、交通機関や宿泊、飲食施設では定員にゆとりを持たせる動きが定着していきそうです。当然、交通機関や宿泊、飲食施設の損益分岐点は上がり、料金にも反映されるはずです。観光業界では顧客の変化への対応を迫られるところも増えるでしょう。

旅行シーズンの分散化はこれまで多々言われてきたものの進みませんでしたが、働き方の変化と連動し、少しずつ変化の兆しが表れてきています。ダイナミックプライシング（価格変動制）の導入や予約の工夫なども含めて制度も変化し、旅のスタイルは時期、滞在スタイル、観光目的など、さらに多様化が進むように感じます。

安価な旅のスタイルも、一定の宿泊数を定額で提供するウェブサイトやアルバイトをしながら滞在することを提案するウェブサイトなど、新しいサービスも急増しています。好きなときに好きな場所で働くための住まいが見つかる「ＨａｆＨ（ハフ）」、複数の提携ホステルの中から選んで泊まれる「Ｈｏｓｔｅｌ Ｌｉｆｅ（ホステルライフ）」、農家や宿泊施設などの手伝いをする「ボラバイト」など、既存の観光旅行の仕組みとは異なる部分で、動き出しているように感じます。

古書を観光資源にした町「ヘイ・オン・ワイ」

実は日本には「もっとマネタイズできるのに、埋もれていて惜しいな」と思う観光資源もとても多いのです。その点、私が見た限り、外国は小さな観光資源を上手にマネタイズしていると感じるところが多くありました。その一つ、「ヘイ・オン・ワイ」も、「よそもの」からスタートした観光地です。

19年にロンドンに住んでいたとき、電車とバスを乗り継いだら7〜9時間くらいかかる、英国南西部ウエールズにある小さな町「ヘイ・オン・ワイ」という古書とアンティークで有名な町を訪れました。昔、雑誌で見た写真がおとぎの国のようで憧れていたのと、古書で町おこしが成功した先駆例として有名で、以前から行きたいと思っていたのです。ただあまりの不便さで、海外旅行のついでに行けるような場所ではありませんでした。

偶然、バースという町に住む友人がクリスマスパーティーに誘ってくれ、彼女の車で翌日訪れることができたのです。長年憧れていたその町は訪れた瞬間、異空間に紛れ込んだように時間の流れが変わる不思議な感覚に包まれ、宿泊予定をせずに来てしまったことを後悔しました。

広大な牧場が続く大自然の中や森を抜け、クルマで数時間、本当に町があるのか不安に思っていたところ、小さな看板が見えました。高台からは遮るものが何もない大自然が広がるところに駐車場の案内があり、クルマが50台くらい止まっていました。人口1500人ほどという町には30軒以上の古書店とアンティークショップ、カフェ、ギャラリー、食料品店、B&Bが軒を連ねます。

急いで歩けば20分程度で1周できますが、小道あり、坂道あり、石の階段や裏通りあり、広場あり。のんびり歩くとワクワクの連続で、アンティークの壁紙や古書店のたたずまい、食料品店のシズル感あふれるディスプレー、重厚感ある店の小窓には猫が日なたぼっこ。どこで写真を撮っても絵になります。

町の中心にあるのは、古い美術館のような重厚感ある古書店。店内に入って迷路のような本棚の横を抜けると、日差しが降り注ぐテラスがあります。アールグレイとホカホカのスコーンにクロテッドクリームにジャム。香りだけでも幸せなのに、ソファの居心地の良さ、壁にかかるアンティークポスターが醸し出すセンスの良さにため息が出ました。ぎしぎしとした木の階段を上ると、ジャンル別の古書の棚。何時間でも腰を下ろしてい

英国南西部ウエールズにある、古書を観光資源にした小さな町「ヘイ・オン・ワイ」

たくなるような古いベンチでは、多くの人が夢中で探し出した本を開いています。一人ひとりに、自分だけの特別な時間が流れているように感じました。

外に出れば軒を連ねる小さな店々。店内だけでなく、アンティークや古書の品ぞろえ、そして店番のおばあちゃんや若いオーナーとの会話がまた楽しいのです。若手作家のギャラリーも点在し、友人はかなり値の張る絵画を一目ぼれで購入していました。夢中になっている間に日が沈みかけ、真っ赤な空が広がっていました。17時にはほとんどの店が閉まり、夕暮れの中のB&Bの明かりと星が印象に残りました。

とても幸せな1日の後、日本でも掘り起こせばこうした観光コンテンツはたくさんあるように感じたのです。アンティークものづくりも食べ物も、そして最も大事なホスピタリティーあふれる地元の人も。外国人が来て英語が通じなくても、おばあちゃんの笑顔は万国共通です。コロナ禍の前でしたが、このような心を充実させてくれる旅はこれからもっとニーズが高まると感じました。

ちなみにこの町が今のような世界中の古書好きが集まる「古書の聖地」になったきっかけは、1962年に遡ります。リチャード・ブースという若者が町の消防署だった建物を買い取り、古書店を開業。その後、彼が映画館、古城などを購入して古書店を展開したことから、町には古書店やアンティークの店が増え始めたといいます。88年以降、文学フェスティバルが行われるようになり、古書の聖地としてさらに有名に。そしてこのイベントの期間だけでなく、年間を通じて本やアンティーク好きが集まる観光地にもなっています。

マーマレードやジャムも、町おこしの起爆剤になる

もう一つ、英国で地産品をうまく観光に活用していると感じた例があります。それはマーマレード。パンやスコーンと言えばジャムやマーマレードで、ロンドンにいたときにはその種類の多さやこだわりに驚きました。ピーターラビットで有名な湖水地方のダルメインという地域では毎年、「ダルメイン世界マーマレードアワード&フェスティバル」が行われています。

場所は広大な田園に囲まれた歴史的な館。英国で最も美しいとされる庭園の一つにも選ばれたこの場所で、マーマレードの腕を競う品評会が始まったのは2005年。英国

伝統のマーマレード作りを見直してほしいという館の主人の思いが発端だそうです。世界40カ国以上から3000本を超える応募があり、世界各国からマーマレード愛好家が集まります。

日本では愛媛県八幡浜市が提携関係を結び、このフェスティバルの日本大会を19年から開催しています。近年は日本からの出品も多く、海外で人気のユズだけでなくダイダイ、カボスなど日本独特のかんきつを使った作品は高い評価を得て受賞作も増えています。スポンサーに食の専門店「フォートナム&メイソン」が入っていて、受賞作はロンドンなどにある同店でも扱われます。実際ロンドンでは受賞マーマレードの購入を心待ちにしている顧客も多いと聞きました。

日本でもジャムが町おこしにつながっているところがいくつもあります。例えば、年間180を超える種類のジャムやマーマレードを地元産の素材中心に手作りしている「瀬戸内ジャムズガーデン」(山口県周防大島町)もその一つ。「樹上の完熟の味をビンに詰めたい」というだけあって、ジャムというよりフルーツを味わう感覚です。店舗の奥にはかんきつが実る傾斜地が広がり、横にある工房からはいつも甘い香りが漂います。そばの小さなカフェのオープンテラス席の目の前は、海。澄んだ小川、きれいな砂浜と広々とした海に囲まれ、とにかくのどかです。

そして、オーナーの松嶋匡史（ただし）さんもまた「よそもの」。新婚旅行で訪れたパリの専門店でジャムに魅せられ、独学でジャム作りを習得して奥様の実家がある周防大島で開業しました。今では地元でも有名な観光名所になっていて、観光バスが狭い海沿いの道路を抜けてやってきます。そうこうするうちに数軒のカフェやレストランができ、少しずつ変化が起き始めているといいます。

「産業観光」という言葉があります。これは歴史的・文化的に価値のある工場や機械などの文化財や製品を通じてものづくりに触れることを目的とした観光のジャンルですが、これからは地域性のある「食」や「ものづくり」を実感する「日常観光」が人気になるように思います。

ここでポイントになるのは、歩けるコンパクトさです。インバウンドが復活したときに海外の旅行客ものんびり訪れたくなる場所になるのではないでしょうか。まさに今、ちょっとアナログに見える土地の記憶をひもといて、日本全国に眠る日常観光の準備をするときかもしれません。

チーズを観光資源にした「モン・ドール」

もう一つ、ものづくりと観光資源がつながる海外の例を紹介しましょう。

欧州には「原産地呼称保護」「地理的表示保護」「伝統的特産品保証」といった制度がありますす。フランスのシャンパーニュ地方産のみが名乗ることができるシャンパンは有名ですが、ノルマンディー地方のリンゴを原料とする蒸留酒カルバドスも、他の地域で作られたものはアップルブランデーとしかうたえません。このような厳しいルールを設けることで、地産品を観光づくりにつなげているのです。

フランスとスイスにまたがって、その伝統が共有されてきたモン・ドールというチーズがあります。毎年製造時期が決まっていて、9月から5月までの期間限定で販売されるウオッシュタイプのマイルドなチーズ。毎年この季節を楽しみにしている人も多く、欧州ではスイス産にこだわる人も店舗で何度も会いました。非常に狭いエリアの生乳を使用し、エピセアというモミの木の樹皮で巻いて香りを付けています。シンプルなルールが守られており、モン・ドールの愛好者であれば、生産地域は自然環境がパーフェクトだと誰もが知っています。だからそうした自然環境を求め、生産地には観光客が一年を通じて集まります。

日本も高品質で地域固有の伝統的製法を持つ食品の地理的表示（GI）保護※23に力を入れており、各都道府県で年々その数は増加しています。これらの食材や加工品がものだけにとどまらず、観光コンテンツとして地域が活用することがさらに重要になります。地元の人々が自らの言葉で語ることによって魅力がさらに高まります。観光業に携わる人だけではなく、地元のすべての人が観光人財に変わるのです。

ケンブリッジの蒸留所では日本のユズを使ったジンが人気

ロンドンから鉄道で1時間程度のところに、1209年創設の名門ケンブリッジ大学で有名な町・ケンブリッジがあります。ヘンリー8世が創設したトリニティ・カレッジやキングス・カレッジ・チャペルなど、数々の歴史的建物のある観光地として有名で、大学の中を流れるケム川をはじめ、自然環境に恵まれた美しい町です。

その中にあるわずか十数坪の蒸留所兼店舗「ケンブリッジ・ディスティラリー」は、外からガラス越しに見るとスタイリッシュな実験室のよう。2019年に訪れましたが、アルコールの中で踊るジュニパーベリー（セイヨウネズの果実）の漆黒の小さな粒、そして蒸留された透明な液体が滴り落ちて冷やされていく様子を道行く人ものぞき込み、店の前は大にぎわい。小さな店の中には商品が所狭しと並べられ、中央に設置された蒸留機の周りで説明を受けながら試飲もできました。

少し離れた場所にある工房では製造工程を詳しく説明してもらえる少人数のツアーも開催され、わずか1ケースからのオーダーメードも受けていました。規模は小さいのですが、最新の技術を導入し、味を決める植物のフレッシュなフレーバーを最大限に生かせるように抽出。ブレンドで微妙な味と香りを作り出しているのが特徴で、若いつくり手が次々と新しい味にトライしているそうです。「Japanese Gin」が人気で、知り合いの日本料理店が輸入しているユズの皮や山椒を分けてもらって原料にしているとか。

個性的な味わいのクラフトジンは数年前から世界的に人気で、日本でも小さな蒸留所がいくつも生まれています。ご存じのように、ジンは大麦やジャガイモなどを原料とし

英国のケンブリッジにある小さな蒸留所ではYUZU（ユズ）を使ったジンが“ジャパニーズジン”として人気に

た蒸留酒で、ジュニパーベリーをベースに薬草など植物由来の素材を加えて再蒸留してつくられるお酒です。無色透明でカクテルの材料としても使い勝手がよく、現在ではその土地の個性を出しやすいお酒として人気が高まっています。

日本の素材を活用したジンといえば、「季の美」がロンドンでも有名。京都蒸溜所が16年に発売し、ユズ、山椒、ヒノキ、ショウガ、玉露など、日本人になじみのある素材を使ったジンは瞬く間に国内外の品評会でさまざまな賞を受賞しました。オーナー夫婦は英国人と日本人です。

ケンブリッジ郊外には、10万坪という広大な自然の中につくられた「堂島酒醸造所」もあります。杜氏（とうじ）は日本人ですが、酒造りに携わる蔵人（くらびと）は日本好き、大のSAKE好きの英国人。杜氏の下で何年も修行し、今では酒造りから蔵のツアーガイドまで務めるほどの日本酒通に。オーナーは「まだ世界的に過小評価されている日本酒の魅力を広めたい」という思いから、素材にも味にもこだわり抜いた日本酒の醸造を、縁のあったケンブリッジで始めました。

ここでの一番人気は「CAMBRIDGE（懸橋）」で、1本約15万円。再醸造仕込みなのでアルコール度数が高く甘みもありますが、この甘さも英国人には大変好評だそうで

英国のケンブリッジ郊外にある、10万坪という広大な自然の中に作られた「堂島酒醸造所」

す。学友8人とともに伺った見学時の3種類の利き酒でも、日本人以外の全員が「これが絶品」と即答したのが印象的でした。

また、広大な敷地には日本の文化を伝えるいくつもの工夫がありました。試飲をする場所は歴史を感じさせる雰囲気のマナーハウスで、蔵の付近に(私が訪れた19年時点でまだ竣工していなかったのですが)レストランや茶室、陶芸小屋がつくられていました。

いずれも、その地の環境や文化に溶け込み、「よそもの」が新しい風を吹き込んでいると感じました。

廃トンネルが天然のワイン貯蔵庫に

地域活性化は長い間課題とされてきましたが、人口減少が急激に進んできた地域はある意味、コロナ禍でチャンスを迎えています。というのも、新しい半官半民のプロジェクトがもっと必要という機運が高まり、雇用の場も種類も広がっているからです。しかも今までと違うのは半民が大企業だけでなく、個人や中小の企業や組織が増えていること。東京で暮らしている人も、もとは地方にいた人も多く、こうした人たちが協力して観光のコンテンツづくりを仕掛ける事例も増えています。

廃トンネルをワインカーヴ(天然のワイン貯蔵庫)にしている地域がいくつもあります。農園やアスレチック施設、キャンピング・グランピング施設もあちこちに増えてきました。そういった施設を地域で集積すれば、滞在型施設もつくれます。アスレチック施設は基本自然の状態を生かし、投資を最小限に抑えるなら、宿泊施設は箱ものをつくるのではなく簡便な移動式のテントやキャンピングカーを利用する方法もあります。

企業と組みながらの観光も、今の時代ならではの大きな可能性を秘めています。飲食や宿泊のサービスは旅館関係者が担い、スポーツや教育は知見のある企業や人にその時期だけ来てもらうように、餅は餅屋のアライアンスが組めたら素敵だと思います。

サービスや知見、ノウハウを地元の人たちが引き継げば、雇用の幅は広がります。畑や食品加工がその敷地にあることは通年での仕事につながり、小ロットでの酒や加工品も事前オーダーで受注が可能などと、マネタイズできるリソースは地域に無限に広がっているように感じます。

近年、国産ワインの人気の高まりから日本にもあちこちにワイナリーができていて、そこで農園や醸造を見たり、ワインのオーダーができたり、という旅行プランも人気を呼んでいます。醸造所や農場を見たり、試飲したり、レストランで食事を楽しんだりしていると、滞在時間はさらに長くなるでしょう。働く人が集まり、村に新たな体験が加われば、風光明媚（ふうこうめいび）な自然の中での長期宿泊滞在プランも人気を呼びそうです。

ワイナリー探訪やブドウ畑の中で食事も楽しめるスタイルはもはや、海外に行かずとも楽しめるのです。ハイスペックな滞在だけでなく、もっとカジュアルなマイクロツーリズム※24のスタイルで楽しむことも可能になります。オープンな農場や加工の場自体が観光にもなり、訪れる人とのコミュニケーションにもつながります。

まさに、サステナブルでエシカルな旅行体験と同時に、学びの場にもなるでしょう。観光は定番コースを回るだけではなく、多くの選択肢を持つリーズナブルなレジャーへと大きく変貌しつつあります。

多様性ある「四季」も貴重な観光資源

日本観光の魅力の一つに四季があります。日本のように、縦に長く四季折々の変化が楽しめる国は世界の中でも多くありません。雪は欧米のスキー客にもアジアの観光客にも人気、桜は海外でも日本語で通じる観光ワードです。さらには日本食の広がりと一緒にYUZU、WASABI、MOCHIなど多くの食品も日本語で広がってきています。古代中国で考案された季節を表す方式「七十二候」には、日本人でもあまりなじみがなくなった季節の言葉がちりばめられています。実はこういった言葉や行事の掘り起こしも観光資源の発掘につながります。

JR東日本時代に地域再発見プロジェクトチームを立ち上げ、新潟・越後湯沢で地元の方々と勉強会をしていたときのことです。本にまつわるプロデュースを行っているバッハの代表を務める幅允孝（はばよしたか）さんが、「この地域には鈴木牧之（ぼくし）が著した江戸時代のベストセラー『北越雪譜』がある。生活や文化の歴史が詰まった宝の山。なぜこれを使わないのか」と語られたことがありました。

そのときの地元メンバーの表情は忘れられません。衰退が進む町を必死に何とかしようとしていた若手メンバーの顔がぱっと明るくなり、そこを起点にもう一度いろいろなことを考えていこうと話が大きく回り始めました。

そんな日本の四季について、近年の気候変動で寂しいことがありました。20年11月、地球温暖化など長期的な気候変動の貴重な指標となり、季節の便りとしても親しまれてきた「生物季節観測」を、気象庁が21年からこれまでの1割程度に大幅縮小するというニュースが流れました。桜の開花や楓の紅葉など植物の一部は残るものの、ウグイスやセミの初鳴き、ホタルをはじめとした昆虫など生物は全て廃止。その理由として「気象台や測候所周辺の生態環境が変わり、標本木の確保や対象動物を見つけるのが難しくなった」としていますが、人員や経費削減という声も聞かれました。

気候の変動は世界共通の課題です。四季がある国で1953年以来細やかに蓄積されてきた記録は大変貴重。観測できなければ、できない事実を記録に残すことも重要ではないかと思います。ホタルなど昆虫の生育環境は農薬一つで変化しますし、トキやコウノトリの繁殖も復活したりしています。これまでのエリアで観測できなければ、北や南に観測地点を動かさざるを得ない事実を記すことも必要ではないでしょうか。

環境は今や大きな消費のモチベーション。日本という国が築き上げてきた日常の文化を今一度掘り返し、「共感」を軸に国内の若い世代やインバウンドを引き込む素材としてリメイクできるはずです。

優れた料理人は優れた食材に引っ張られる

青森県弘前市に、私の大好きなレストラン「オステリア エノテカ ダ サスィーノ」があります。最初に伺ったのは十数年前で、一つ一つの素材の強さとそれを生かし切った絶品の味に驚きました。野菜は自家製だと聞いていましたが、燻製から生ハム、チーズまで自家製と言われて驚き、次に伺ったときはワインまでオリジナルになっていました。

席数は少なく、こぢんまりとして居心地のいい店内の一部には燻製や熟成ができる小部屋があり、そこに並ぶおいしそうな生ハムやチーズの数々にみとれてしまいます。海外のレストランなどで見かける、時間をかけて食材が熟成していく変化を楽しみながら待つ、そんな場所が弘前にあったのです。

当時、日本の地方都市でこんなに素晴らしい料理が食べられることにとにかく驚きました。さらにオーナーシェフの笹森通彰さんはよく、遠くない将来、もっと田舎の畑を作っているそばでレストランをやりたいとおっしゃいます。

海の幸が有名な地方都市の寿司店はおいしいところも多くあって観光名所にもなりますが、名産地が必ずしも観光客に恵まれているとは限りません。以前、同じく青森県のマグロで有名な大間町に行ったときに「一番いいものはみんな東京の市場にいってしまうよ」という言葉を聞き、寂しいしもったいないなと感じたことを思い出しました。

考えてみると、欧州の小さな町にはミシュランの星付きレストランがあちこちにあります。ミシュランといえば、20年には初めての日本人3つ星シェフとして小林圭氏が大きく話題になりました。星を獲得する日本シェフは近年2桁に上っており、ここでも「よそもの」が存在感を増しています。

日本でも人気の松嶋啓介シェフは人口35万人の南フランスのニースで店を構え、そこで取れる海産物の豊かさや鮮度、そして近郊の野菜の素晴らしさをよくおっしゃいます。そしてそんな素敵なレストランがある郊外や地方の小さな町には、チェーンホテルではなく地元の居心地のいい宿泊施設があるのです。星付きレストランは言うに及ばす、宿泊施設も地方だから安いということはありません。そしてクオリティーの高いサービスとセキュリティーや内装を備えています。客はわざわざその味を求めて訪れ、その素材の生まれる土地、そしてそこにいる人のホスピタリティーに酔う。そんな時間を楽しんでいるかのようです。

優れた料理人は優れた食材に引っ張られる。いつか聞いたそんな言葉が頭に浮かび、東京だけにおいしいものや優れた料理人が集まる時代が変化しつつあると感じています。

※23 地理的表示（GI）保護…伝統的な生産方法や気候・風土・土壌などの生産地などの特性が、品質などの特性に結びついている産品の名称（地理的表示）を知的財産として登録し、保護すること。

※24 マイクロツーリズム…自宅から1～2時間ほどの距離で楽しめる観光。近場で安心、安全に過ごしながら地域の魅力を深く知るきっかけになり、地域経済にも貢献する。

7章

「よそもの」を楽しむ

私自身も、「よそもの」からスタートした

古い話で恐縮ですが、私が社会人になった1989年は男女雇用機会均等法が施行されて4年目のときでした。

当時女性比率が1％に満たなかったJR東日本の中で、私たち女性は明らかに「よそもの」。配属先の駅では男子トイレを改造して女子トイレブースを作ったり、会議室を区切ってロッカー室を作ったり、女性を職場で受け入れるための勉強会をしたりと、さまざまな取り組みが始まっていました。そうしたぎこちない取り組みの中に、戸惑いながらも女性社員を受け入れようとする勇気と温かさを感じました。

時代は変わりましたが、今も地域の方々と話すと、同じように感じることがあります。目の前に「よそもの」が現れたとき、戸惑いつつも、何か恐る恐る慣れようとしてくれている気持ちが見え隠れするのです。日本に来た外国人も同じことを感じたと言います。全く受け入れないわけではなく、興味はあるんだけれど、「この人は大丈夫な人なのか」ということを探っている。こちらから聞けばすごく親切に教えてくれるけれど、遠慮し

ているると半年たっても遠くから見ているだけ。そうした距離感はこれまで取り組んできた新規事業とも多くの共通点がありました。「よそもの」としてどう壁を越えるのか、成功法則のようなものがあるのかもしれないと感じています。

地元民が消極的だった、越後湯沢駅リニューアル

2005年3月5日にオープンした「エキュート大宮」は、「エキナカ」の第1号。そして秋に開業した「エキュート品川」。ここから「エキナカ」という言葉や駅の構内での商業空間が全国に広がりましたが、このチームも素人集団。ある意味では鉄道を知らない「よそもの」ばかりでした。

次に私がJR東日本で携わったのが、地域活性化。どの地域で何をやるか全く白紙の状態の中、次々と各地での課題案件が飛び込みました。「新幹線の新青森駅開業に合わせて地元貢献で何か」というお題に向き合った末考えたA-FACTORYや、各地の地産品の展開をということで作ったショップ「のもの」、客室20室のB&B型宿泊施設の再建

など、いくつもの小さなチームをつくって多くのプロジェクトが生まれ、地域の方々との結びつきがより強まり、今に至ります。同時にこの仕事は私自身も地域への思いの原点になり、ONE・GLOCALの起業につながっています。

09年から3期に分けて開発した越後湯沢駅のリニューアル計画もその一つでした。背景にあったのは、JR東日本が1990年に開業したスキー場「GALA湯沢」の利用客数減少。地元の観光客も減少していました。地元と一緒にスキー客や夏観光を盛り上げたいというところから、無機質だった越後湯沢駅を変えていこうとなりました。

もともと越後湯沢駅には、商業施設「CoCoLo湯沢」がありました。ワンコインで日本酒が飲める「ぽんしゅ館」や温泉があり、小さいけど個性的で魅力のある施設でした。しかし、改札とCoCoLo湯沢の間の50mほどのスペースは、だだっ広い空間に臨時販売の屋台がいくつかあるだけ。新幹線の改札を出たすぐの空間は本来であれば多くの観光客でにぎわう場所なのに、あまりにもったいない使い方だと感じました。

さらに不便を感じたのは、目立たなかった観光案内所と段差のあるトイレでした。スキー客にとって、段差はとても不便。そこで改札からCoCoLo湯沢までの空間を変えるところから、旅行センターと観光案内所にカフェを併設した待合スペースづくり、地元飲食が楽しめるゾーン、そしてトイレのバリアフリー化と3期に分けて開発したいと提案しました。

私は本社の立場でしたから、一緒に動いてくれる地域の子会社に協力を仰ぎ、地元の旅館組合や町役場、商工会議所などさまざまな立場の方が集まる会議体を設けました。最初に地元の方々に提案したときは、賛成意見も反対意見も出ないくらい、消極的な姿勢でした。「JR東が何かやりたいらしい、駅がにぎやかになったら我々は困る」。そんな空気さえありました。

結果がすぐ出るところにリソースを集中させる大切さ

当時つくった「地域再発見プロジェクト」の基本となる考え方の中央に、「共創」という言葉があります。今では当たり前ですが、その頃はあまり前面に出る言葉ではありませんでした。地元との対話を大切にし、毎回必ずこの会議に出席して熱く語った上司である常務の言葉は、常にこの「共創」に集約されていました。

対話の中で、最初に旅館の若旦那と若女将の集団がやる気になってくれました。彼らが「よそもの」の我々と地元の仲間、親世代の間に入り、一緒にやるという雰囲気ができてきたのです。エキナカは全て地元のテナントでつくり上げたいというJR東日本子会社の方針も熱を帯びてきました。しかしスキー客や観光客が減少し、年々衰退が進む地方駅を今さら変えたところで、という空気感もまだ強くありました。

まずは結果を出さないと人心が離れる、そんなプレッシャーがありました。そこでリニューアルを3期に分けました。第1期の「中央いちば」は改札前の一等地でしたが、実はほとんどお金をかけていません。汚れが目立つベージュ色だった天井を黒く染め、照明を増灯しただけで、シックな空間に変わりました。ここでは名物笹だんごを筆頭にさまざまな食、燕三条の刃物からカトラリーまで品質のいいものが並びました。

地元出身のグループ会社のメンバーが連日取引先と丁々発止しながら一緒に売り場をつくり上げる姿に地元愛を感じました。この1期のリニューアルは地元の受けも観光客の受けもよく、一気に売り上げが上がって流れが変わりました。

次は観光案内所を中心とした人がたまれる場づくり。このころには地元と我々の間に壁はありませんでした。そして最後が「がんぎどおり」と名付けられた、地元のクラフトビールや酒、蕎麦や津南ポークなどが楽しめる飲食店などが並ぶエリア。地元との関係だけでなく、本社と支社、そして子会社との間も一体感が生まれ、結果につながりました。

リニューアル前は「どうせ何をやっても無駄」という、諦めの空気でいっぱいだった空気感が、リニューアル後は、大きく変わりました。例えば名物笹だんごも、以前は6カ所ほどで販売されていたので、買ってから別の商品を見て「こっちのほうが良かったのに」と後悔したという声をよく聞きました。

リニューアル後は、笹だんごの店が1カ所に集まり、比較購買するお客様の山ができました。品質も上がり、価格や小分けの選択肢も広がり、「売れているところを見ながら、自分のところも売れるように工夫するようになってきています」と現場から聞いてうれしくなりました。

地元の資産は地元の人が一番よく知っています。しかしそこに「よそもの」が入ることで引き出せたり、化学反応が起こったりするのはよくある話です。顔の見える小さな集団であればあるほど、「よそもの」に対しての抵抗は大きいかもしれません。しかし、日本の魅力のためには、そういった地域のあちこちで若い世代も面白がって参加し、化学反応が起こることが望まれていると思います。

限定された条件の中で、スピーディーに結果を出すことが求められる。これはスタートアップ企業にも言えることですが、結果がすぐ出るところに資源を集中させることは成功のポイントの一つといえます。同時に「よそもの」が地域で受け入れてもらうためには「信頼」が大切で、これは「思いと行動」。ここでも数字と思いは両面で、後は行動あるのみのように思います。ただ、そんな私にもいくつも失敗経験があります。次は私の失敗例をお話したいと思います。

成功法則を見失ったカルビーでの経験

15年に上級執行役員として入社したカルビーでは、まったく畑違いの分野から来た正真正銘の「よそもの」でした。ヘッドハンティングしてくれた松本晃会長（当時）からは、「大丈夫、あなたが暴れた程度では会社は潰れないから」と何度も言われました。そして名経営者としても有名な松本氏自身も米J&J（ジョンソン・エンド・ジョンソン）からきた「よそもの」としてカルビーを改革し、急成長を成し遂げていました。

私が入社早々に興味を持って取り組んだのは、「国産野菜チップス」でした。カルビーが12年に販売し、一時大ブレイクした「ベジップス」。入社前から野菜をこんなにおいしく仕上げられるなんて素晴らしいと大ファンでした。しかし人気が出たとはいってもポテトチップスやスナック菓子のような巨大な売り上げを持っているわけではなく、工場でも手間とコストがかかる商品だったために、人気の陰りとともに「生産を終了したほうがいいのでは」という声も上がっていました。

そういう状況でありながら、私は「ベジップスはすごい商品」「これを特徴ある国産野菜で作ったらもっと素晴らしいものができる」と考え、部下や開発メンバーに相談しました。味に特徴のある、青森のリンゴや淡路島のタマネギ、青森の雪下にんじんや岐阜の宿儺(すくな)かぼちゃなど。ただでさえ収益が上がりにくい点が問題視されていた商品だったのに、さらに原価の高いブランド国産野菜を使用。小ロットでの製造を相談しました。今思えば無謀もいいところです。

国産ブランド素材はいずれも糖度が高く、熱に弱いため、一次加工にも相当な難しさがあります。歩留まりもよくありませんでしたが、試作で出来上がった淡路島産のタマネギは甘くてシャリッとして口でサッと溶ける絶品の味でした。一方、デリケートさも半端なく、従来の袋では少し持ち歩くだけで粉々になってしまい、物流に耐えられる状態ではありませんでした。しかしベジップスを開発したメンバーは素晴らしく、半年以上かけてこのデリケートさをクリアしました。ただ国産野菜のチップスは素材原価が高いうえに、一次加工、二次加工ともに手作業含めた手間がかかり、極端な小ロット生産。カルビーの工場では向かない商品でした。

これまでにない販路ということで、土産品を扱うカルビーのアンテナショップと健康イメージの強いロック・フィールドの岩田弘三会長にご協力いただき、「Ｖｅｇｅｓ Ｅｎｅｒｇｙ（ベジーズエナジー）」の名称で展開しました。「国産野菜で塩分なしの味付けのないスナックを求める顧客」という仮定のマーケットは、３００円強で十数グラムの小袋という高価格もあってなかなか動かず、地域限定の最小ロットにも達しないため、工場側からも「やりたくない」と言われてしまい、結局、1年ちょっとで撤退しました。お願いして農産物を卸していただいた農家さんにもご迷惑をおかけしました。

この件で一番学んだのは、「好き」を結果につなげるスキームの構築が弱かったこと。そして大量生産が得意な大手メーカーと、小ロットの専門店的な商品づくりが向く設備は根本的に異なるということでした。小さなキッチンのような研究開発センターではできる味や食感が、ラインに流した途端できなくなることはメーカーでは当たり前です。さらには効率もすごく悪くなります。同じような商品に見えても、小さな加工メーカーと大手メーカーの作り方は全く別なんだということすら分かっていませんでした。ただ、その反面、大手にできないことも多くあることが分かり、一見効率が悪いと言われる手づくりの商品はやり方次第でこれからも生き残れると感じました。

もう一つの反省は開発のスピードでした。今思えば、「よそもの」ゆえに結果を急ぎすぎたのかもしれません。同じような商品がすでにあったといっても素材によって開発は一からです。工場の状態や開発のスピードを含め、もっと小さくトライしながら検証し、マーケットポテンシャルの見極めをすることが大切でした。

よく「顧客課題」と言いますが、顧客課題には顕在化しているものと潜在化しているものがあります。まずはそこを見極め、顕在化している中でどのような解決策を取るのかがスピードを上げる法則であったことも忘れていました。

しかし、うれしかったこともあります。このプロジェクトは解散しましたが、地域での農家さんとのやり取りから思いを共有し、一次加工の工場で手作業が多い現場も経験した当時のメンバーがどうしても完成したいと頑張って、20年に新商品の販売にこぎ着けたと連絡をもらいました。「カリッとりんご」という商品で、価格もこなれた商品になっていて、品薄になるくらい好評だという言葉を聞き、とても幸せな気持ちになりました。

「よそもの」がいて当たり前の組織

48歳で初めて転職したカルビーは、働き方も人事評価も全く異なっていました。テレワーク、フリーアドレスがすでに制度としてできており、時間でなく結果で評価するという松本さんの考えに基づき、人事評価制度もジョブ型になっていました。

当時は驚きましたが、このコロナ禍で全く問題なくテレワークに移行できているのも納得です。日本で当たり前と言われてきた3種の神器「終身雇用」「年功序列」「企業別組合」が1950年代からの高度成長を支えたシステムというのは周知の通りですが、COVID-19はその崩壊も加速させています。

今はコロナ禍で労働バランスが崩れた企業間での人事交流や、副業、兼職も増え、働く「場」の柔軟性が高まりました。こういった変化の中でやはり一番大切なのは常に「何のためにそれをやるのか」ということだと思っています。選択肢が増えたからといって、誰かがやっているからやる「副業」では、どっちつかずになる恐れもあります。

その一方で、目的を持った副業は視野の拡大にもつながるはずです。これまでのやり方や前提が大きく変化する中で、一番やってはいけないのは、以前のスタイルに戻ろうとすること。価値観が多様化している現在、「よそもの」を取り込みながら企業としてのミッションを追求することが、企業側の結果にもつながりやすいように思います。

同時に人口減少に悩んできた地域や中小企業にとっては、個性的な「よそもの」を取り込めるチャンスが今きています。ダイバーシティーという言葉も2000年あたりから日本でも浸透し始めましたが、女性活躍ですら「20年に指導的地位に占める女性の割合を30%にする」という目標が達成されず、「20年代の可能な限り早期に30%程度となるよう目指す」と表現も変更になりました。「よそもの」の活用は今までの感覚だと社内にいる女性たちよりもっとハードルが高いはずですが、このパンデミックはそれを後押ししてくれるようにも思います。

世界経済フォーラムでのジェンダー・ギャップ指数2020でも、日本は153カ国中121位。経済、政治、教育、健康の4分野の中で毎年経済と政治が足を引っ張ります。「よそもの」はまさにダイバーシティーという視点から大変重要な存在です。

地方の小さな村や町では、近所のみんながお互いを知っています。そこでは「よそもの」が現れるだけで最初は警戒されますが、日々のつながりがその壁を取り払うのにそんなに時間はかかりません。そもそも高齢者しかいない集落で、女性だからとか外国人だからとかではなく、知らない人は全て「よそもの」なのです。

都心の歴史ある大企業のように価値観や組織が確立されているところほど変化に対応するのに時間がかかりますが、地方は手つかずのまま取り残されてきました。そこが今、逆にチャンスを迎えていると感じます。

50歳を過ぎてからの学び直し

自分自身の生活を振り返ると、社会人になって30年は、その時々で公私のバランスで悩みながら、走り続けてきたようにも思います。仕事と私生活はいつも生活の両輪であり、その仕事とはすなわち「会社に所属しながら働くこと」。若いころから「いつか海外の美術系大学で一定期間勉強したい」という憧れがありましたが、これまでの日本の大企業での仕事の中で長期間の休暇を取ることは、難しいのが現実でした。そこで会社勤めを卒業したのを機に、19年秋からロンドンのRCAに短期留学をしたのです。

大学には個性的な学生が世界各国から集まり、自ら手を動かして製作をする授業が続きました。授業の内容や進め方も斬新でしたが、環境の変化はそれ以上。自分の子供世代より下の若いクラスメートと議論したり、課題製作のために街中にインタビューに出たり、ロボットを作ったりと想像以上にハードでエキサイティングな毎日が続きました。

私が学びたかった内容の一つに、共感から課題を解決していく「デザイン思考」がありました。大企業のような縦割りのピラミッド型組織だと、どうしても技術や数字の部分だけが重要視され、感性の部分は言っても伝わらないことが多々あります。現実には感性が入らない商品やサービスはお客様に響かないのですが、この必要性を投資回収と併せて説明するのはなかなか困難です。

ただ振り返ってみると、仕事では仮設を立てて課題を再定義し、解決を図るという流れをすでに実践していたようにも思います。

例えば05年に最初のエキナカとなるエキュート大宮が開業したとき、多くの社内の人から「おまえがやりたかったのはこういうことか。分かりやすく言ってくれれば、もっと手伝えることがあったのに」と言われました。何度も図面やパースを作成して説明していたのですが、伝わっていなかったのです。

前例がないことが伝わりにくいことは当然で、「『例えば〜のような』が言えたら、それは初めてじゃない」と今でも思います。サラリーマン社会では、それを理解してくれる上司がいなければ、前例のないことを実現するのは不可能です。とはいえ、新規事業には感覚やセンスが重要になることも少なくありません。それは決して単なる思い付きではなく、常に考え続けていることと、何らかの出来事や数字がかみ合ったときにひらめくことが多いのです。

ですから自分が今やっていることや、やりたいことをもう少し分かりやすく伝える術はないだろうか、という思いはいつも頭にありました。今だったら説明しきれるか?と問われれば、やはり答えは否。しかし少しですが、デザイン思考を勉強したことで、あのころの自分の考え方や行動、そして当時の組織やチームの動き、マーケットなどの関連性が客観的に分かるようになったように思います。

そしてもう一つ、学びながら気づき、改めて実感したのは、「私はどちらかというとアート思考の人間だ」ということでした。私が学びたいと思っていたデザイン思考というのは、解決すべき課題があって、それをどう解決するかを論理的に整理する思考法です。それに対し、アート思考が目指しているのは、価値創出。課題も分からない中でいかに問いを立て、新しい価値を世の中に提示していくかということだと思うのです。私はベースに「自分がお客様だったら」という仮定はありますが、自分にやりたいものがすごく強くあり、「こういうことをやったら面白いんじゃない?」と思うタイプです。

A-FACTORYもそう。シードル自体は新しいものではありません。でも「青森にフランスのようなシードル街道をつくりたい。そのきっかけとして、あの場所でクラフト感のあるクールなシードル工房を作りたい」という最終的なイメージは、顧客のヒアリングからも議論からも生まれてこなかったでしょう。

ベストセラーになっている『世界のエリートはなぜ「美意識」を鍛えるのか?』の中で著者の山口周氏は「『美意識』とは、経営における『真・善・美』を判断するための認識のモード」と語っています。1990年代あたりから徐々に書籍や記事でよく見かけるようになってきた、リベラルアーツ、デザイン経営、アート思考、STEAM（Science・Technology・Engineering・Art・Mathematics）教育などの言葉にも共通する考え方があります。この「美」を感じられる感性は、今では理論や数字と同様に普通に語られる要素になっており、社員教育でもそこに注力した内容もよく見かけ、いい時代になってきたと感じます。そして気づかれる方も多いでしょう。このような価値観の中でのビジネスでは、ダイバーシティーな人や組織なしに結果が出づらいことを。

もう一つ学びたかったこと、というより体感したかったのが、生活の中でのダイバーシティーと、手を動かす授業を通じての「Z世代※25のデジタル感覚」でした。海外の大学院という環境では、クラスメートは二回りも年下のデジタルネィティブで、国籍もバラバラ。ちなみにクラスメートは24人のうち日本人ゼロ（私は短期留学なので含まず）、5人が中国人、4人がインド人、米国人が3人。それ以外は多種多様な国籍で、3分の1は両親の国籍が異なっていました（世界の人口の縮図のようでもありました）。

デジタル化はCOVID-19で一気に進みましたが、それまではこの波が来ることが頭では分かっていても、国も会社も個人も今までの習慣を捨て切れなかったように思います。マイナンバー制度の普及が一気に進まなかったのも、「（デジタルもアナログも）

どちらでもあり」のダブルスタンダード状況が大きかったのではないでしょうか。

大企業にいて役職が上がれば、デジタル周りのことは若手がフォローしてくれ、何も困りません。私自身もそうした快適な環境に身を置きながら、「デジタルの世界から逃げていると、ビジネスの会話が成立しなくなる恐れがある」と常々感じていました。

上層部がシステム構造やサービスの仕組みをすべて理解する必要はないと思います。でも、何がどんなふうに使えるのか、やりたいことのコストや時間はどのくらいなのか、その感覚すら持たなければ、メンバーの力を借りたとしても今後やりたいことすら実現できないようになるという焦りがありました。ダイバーシティーも環境問題も日本が遅れていると頭では分かっていましたが、実際に海外に住んでみて、それを日々実感したのです。

憧れ半分で留学生活をスタートしましたが、自虐的に「おばさん」という言葉を何度自分に投げかけたことか。授業の理解以前に、デジタルネイティブの世代には常識のような作業に戸惑い、授業に必要な各種ソフトのダウンロードなど簡単な作業一つできない自分にイラつきっぱなし。大学での手続きはオンライン化されていて、講義や木工室、3Dプリンター設備使用のちょっとした登録一つにさえ時間がかかり、なかなかやりたいことにたどり着けません。

クラスメートが実習しているときに登録ミスでその部屋に入れないということもあり、情けなさと焦りでいっぱいになりました。学食に一人で最初に行ったときも、キャッシュが使えず、たまたま持っていたカードはアメリカン・エキスプレスだけで使用できず。哀れに思った食堂のレジの方がカードで払ってくれ、その方にキャッシュで払うという情けなさ。

さらに私生活ではスマートフォンのSIMカード購入から始まり、賃貸住宅の契約を終わってホッとしたのもつかの間、電気代や税金の請求書がすぐ自宅に届いて慌てました。そもそもほとんどオンライン化されている各種手続きを自宅でやろうとしてもWi-Fiが使えず、ルーターの申し込みから始めなければなりませんでした。

学生は税金が免除になりますが、それには学校の証明書や銀行口座が必要。証明書の発行にも1週間強、銀行も大企業の赴任であれば早いのですが、学生は与信上制約も多いうえに時間がかかります。結果的に銀行は便利なネットバンクにしました。

海外生活された方なら普通のことかもしれませんが、初めての私には学校でも自宅でも「知らない、できない、分からない」の嵐。つかないテレビ、水漏れする食洗器の修理、動かない掃除機、定時に届かないデリバリー、時間を全く守らない修理業者など、延々と続く日常ハプニング。とはいえだんだんできないことへの焦りも減り、諦めも早くなり、ストレスが減っていきました。

レジリエンスと慣れ

ここでこの言葉を使うのが適切かどうか分かりませんが、レジリエンスという言葉が頭に浮かびました。人は意外と環境に慣れるものだと感じたのは2カ月目、日本の友人から紹介してもらった現地在住の日本人に連絡を取る余裕も出てきました。最初に頼ればよかったのですが、授業に追われて全く心にゆとりがなかった私は連絡して待ち合わせをする余裕すらありませんでした。精神的な余裕ができてからは、クラスメートとランチしたり旅行に行ったり、ミュージカルや美術館・博物館（英国の美術館・博物館の大半が無料）のさまざまなイベントにも参加できました。

ここで海外のデジタル環境について日常で感じたことに少し触れたいと思います。まず、銀行のアカウントは結局ネットバンクにしたと先ほど書いた通りですが、使ったのはクラスメートに薦められた「MONZO」という会社のもので、とにかく便利でした。口座開設は深夜でもできるし、たった2日で届いたカードはデポジットのタッチレスで毎日使っていました。どこの飲食店でもスーパーでも専門店でもほぼ使え、リアルタイムでアプリに使用状況が表示されます。友人との食事の割り勘もすぐにアプリででき、フランスやチェコに行っても同じように使えるので、いちいちキャッシュを引き出さなくて済みました。

私はネットバンクを活用しましたが、英国でも老舗銀行の店舗は立地のいいところにちゃんとあります。面白かったのは中国人のクラスメートは全員HSBCやバークレイズなどの老舗銀行使用派で、インド人や欧州勢はデジタル派が主流。

日々の買い物では、スーパーに有人レジはあるものの、多くは手伝いが必要な人向けに設けられていて、基本はセルフレジ。有人レジに行きづらい雰囲気もあって最初は躊躇（ちゅうちょ）しましたが、もたもたしていると従業員がすぐにヘルプして一緒にスキャンしてくれます。家の近くの郵便局も、切手購入から各種手続きまで、対応はほとんど機械。数人いるスタッフは、作業しながら機械を操作する客のサポートをしていました。

当然FF（ファストフード）各社はすべて機械でオーダーし、番号が表示されたらカウンターに取りに行くので、会話はゼロ。英国でも「労働者が足りない」と言われている現状を実感すると同時に、効率の良さも感じました。コロナ禍でこの習慣は、奏功したのではないでしょうか。

RCAの授業で感じた日本との教育の違い

RCAで私が所属したのは、GID（Global Innovation Design）という学科でした。2年（6期）で修士号を取る学生に混じり、私は最初の1期と2期（9月～翌年4月）に合流しました。この学科はインペリアル・カレッジ・ロンドンという理工系に歴史のある大学との共同授業でもあり、ラッキーなことに2つの大学の授業を受けることができました。ここで具体的な授業の話を少し紹介します。

1期と2期で9つの授業がありました。例えば、「Design Psychology」という授業はその名の通り心理学です。

「Anxiety（不安）」というテーマに基づき、1週間で各5人のチームが5つ構成されました。期間は1週間。月曜が講義、火曜から木曜までチームで議論してまとめ上げ、金曜に発表。途中1回のチュートリアル（個別指導）が入ります。不安はどんな状況で起こるのか、起こると人はどんな行動を取るのか、その不安を鎮めるには何が必要か。抽象的な課題に対して具体的な現象を仮定し、その解決策を発表するというものでした。

私にとってまず新鮮だったのは、「調査に当たり、インターネットの検索が使えない」という条件。ネットで大学の図書館の文献をひたすら検索します。データはエビデンスの取れる調査データや根拠の明確な論文や文献から抽出し、論理的に説明することが求められます。

それぞれのチームのテーマも発表も個性的でした。あるチームはコミュニティーから孤立していく不安について取り上げ、あるチームは医学科学的な未来の解決策を提案、あるチームは巨大豪華客船が事故に遭遇したときのサインとピクトの役割を各国のサインやピクトの違いから説明しました。

そして発表もキャスター風から始まるチームあり、全員がそのシーンを演技するところから始まって学者風に論理的に説明するチームありと、とてもユニーク。プレゼン後、教授やチューターのコメント、クラスメートからの質問や感想が述べられ、翌日担当教授とチューターたちから各チームの成績表がメールで届きます。どのチームのスコアがいくつか、評価された内容や足りなかったところなどが一覧になっていて、こちらも興味深かったです。

デジタル時代に「理系」「文系」のカテゴライズは無意味

「Gizmo」という電子工作でロボットをつくる授業では、「各自でロボットを作ってもらいます」という教授の第一声に固まりました。3週間で、テーマは「生き物の動きをロボットで表現する」。何のために何をつくり、どんな自然界の動きをロボットで表現するかのストーリーを付けることが求められました。講義は初日と2週目初日の2日だけで、チュートリアルが週2回ずつありました。

最初にコンピュータ基板「Arduino」を使って基礎的なことを学んだときは、電流、抵抗器、オームの法則など、遠い昔中学校で学んだ言葉が頭をよぎりました。もらった小袋には、電源スイッチ、コード、センサー、USBケーブル、モーター、プロペラ、LED、基板など今まで手にしたことのないパーツがごちゃごちゃと入っていました。そしていきなりのレクチャーはコンピューター言語についてで、全くちんぷんかんぷん。クラスメートの半分以上は日本で言えば文系。彼らの顔を見ているとやはり同じような表情でほっとしたのもつかの間、急に流れが変わります。

コンピューター言語ができなくてもロボットはつくれるという説明からいきなり実技に入り、Arduinoの使い方や、キットの説明が始まりました。無我夢中で作業をすると、基板の上でプロペラが回ったり、LEDが点灯したり、PC上でコードの数字を変更するとLEDの色が変わったり。不安そうにしていたクラスメートが面白そうに変更を加えてモーターの回転数や色の変化を楽しんでいる中、教わったことを繰り返して首をかしげる自分がいました。

このArduinoは小学生のプログラミングを学ぶツールとしても人気ですが、ひと手間加えるとドローンやロボットなどさまざまな装置をつくることができます。この授業では3週間の間に各自コンセプトを決め、パーツをアマゾンで購入したり、3Dプリンター室、レザープリンター室を使い、自分で加工してつくったり。最終的には技術を競うものではなく前述のテーマに対しての提案なので、企画力やアイデアのユニークさ、出来上がりのロボットの完成度が評価の対象です。

この授業での最大の気づきは、「デジタルの時代に理系・文系の区別は無意味」ということ。そしてこんなに簡単にこういう体験ができる時代には、若い世代や子供たちのほうがツールを使いこなせるようになるんだと痛感したことでした。

もう一つ面白かった授業を紹介しましょう。「Grand Challenge」という約2カ月かけて行った授業です。これにはスポンサーが付き、優勝作品には賞金が付きます。全学横断で約2000人が5人1組のチームになり、メンバーは全て異なる専攻の同級生です。私のチームはサービスデザインやテキスタイル、カーデザインなどの学生で構成され、当然初めて会う同級生。最初は自己紹介を兼ねて自分の学科にチームメンバーを案内したりされたり。通常はセキュリティーが厳しく他の教室には入れないので、全く異なる学科の雰囲気や授業内容も垣間見られてエキサイティングでした。

この年のテーマは「ENHANCING THE HUMAN～100年後を想定して～」と、とにかく抽象的です。いくつか大講義室でレクチャーがありましたが、少数民族の文化、映画、環境、考古学などこれまた幅が広く、課題とストレートにはつながりません。授業は前半と後半に分けられ、前半で各チームがテーマや考え方をまとめます。前半のテーマをくじ引きで違うチームが引き継ぎ、後半で完成させて最終発表をします。

提出物はポスター・映像・説明書の3点。優秀作品の摩訶不思議な世界も興味深かったのですが、それ以上に学科をシャッフルしての授業に驚きました。

一貫していたのは「教える」のではなく「考えさせる」こと。教授やチューターたちは伴走しながら、「そこについてはこれを学んだほうがいい」「こんな考えを知っているか？」「こうするにはこういうやり方もある」といったことを言ってくれますが、結論にたどり着く方法を決定するのはあくまでも自分なのです。当然正解はありません。短い期間でしたが、こうした教育スタイルの違いに驚くことばかりでした。

そして帰国後、もう一つ日本との違いを感じました。20年3月のロックダウンとほぼ同時に私は帰国しました。ご存じのように英国ではあっという間にCOVID－19が深刻な状況になり、医療は逼迫しました。もともとマスクをする習慣のない国だけに、マスクも売っていなければ、フェースシールドマスクもない。もの不足は日本以上にも感じられました。

そんななかロックダウンが始まって間もない時期、学生間でのチャットが学内で拡散され、クラスメートが日本にいる私に送ってくれました。「大学院の3Dプリンターを使ってフェースシールドマスクをつくり、少しでもNHS（National Health Service：国営医療制度）を助けよう」というボランタリーな動きでした。

大学院にはいろいろな工作機械があります。技術がある人はつくり、それを梱包する人、配達する人、材料調達する人とそれぞれができることをすぐやり始めた状況がチャットで報告され、彼らの行動の早さにただ驚きました。そして行動を起こす学生も素晴らしいですが、同時にロックダウン中に許可を取って学校を使用させるという判断をすぐしたことも素晴らしいと思いました。

「ONLY, OR」から「AND, WITH」の時代へ

世界中で脱炭素、そしてサステナビリティーへの大きなうねりが起こっています。トランプ政権時にパリ協定から脱退した米国も、バイデン政権になり早々に復帰。再生可

能エネルギーなどに4年で2兆ドルの投資を掲げるなど、環境への取り組みをいくつも打ち出しました。日本政府も20年、50年までに温暖化ガス排出量を実質ゼロにする方針を打ち出し、やっとスタートラインに立った感も受けます。グリーン投資は各国で義務から成長へのエンジンに変化しました。

大量生産・大量消費の時代に企業は巨大化し、地球環境に大きな影響力を持つようになりました。経済で企業の果たす役割がこれからも大きいことは間違いありません。しかし同時に、それ以上の影響力を持つのが我々市民の暮らし方や消費意識の変化であり、これまでの日常の「当たり前」の見直しではないでしょうか。

日々の活動は、企業の巨大な数字や国の目標に対して小さく見えがちです。でも世界人口77億人の普通の人々の日々の活動が実は環境に対して一番インパクトが強く、変化を起こすのが早い道のりであり、とてつもなく大きなパワーも秘めています。

現代は「マーケットが見えない時代」とよく言われますが、それは今のトレンドが「可視化されないもの」に変化しただけではないでしょうか。SDGsの高まりはすでに消費の世界に浸透しています。そんな現代の人々が購入したい「もの」は単なるものではなく、自分がこうありたい姿、自己実現を形にしたものといえます。これからさらに多くの分野で、投資段階からサーキュラーエコノミーを考えることがより重要になってくるはずです。

壊れたらすぐ買い換えるという大量生産・消費のスタイルにも多くの消費者が違和感を持ち始めています。サブスクやC2Cのデジタルの仕組みは、所有することなく素敵な家具や器が使えるぜいたく感や、不要なものを必要な人へつなげられるプラットフォームになっています。

テスラが先行していますが、クルマの世界でもトヨタ自動車や日産自動車が、クルマを買い換えなくても走行機能を高度化する仕組みを21年に導入すると報じられるなど、売り切りを前提にしたこれまでのビジネスモデルは多くの業界で大きく変化しようとしています。

古くからの暮らしの中では、天然資源を大切にし、長年修理しながらものを使い続けることが世界中で当たり前でした。大量生産・消費型経済の時代にはそうした生活スタイルは時代遅れとなりましたが、COVID‐19は自宅での時間を増やし、日常を振り返らせてくれました。生活の中で少し手間がかかることを楽しめば、「食」や「暮らし」を豊かにできる。また古き良きものをリメイクして使い続ける、そんな時代とも共存できるようになったと感じます。

例えば少し前、ニューヨークで「金継ぎ」が若い世代に人気という記事を見ました。そういえばロンドンでも学友から金継ぎについて聞かれたことがあります。これまでも欧州のアンティークショップでは、たまに金継ぎされた日本の古い器を見かけることがありました。それらはかなり高価で、それを楽しめるのは欧州でも限られた人々のように感じていました。

でも私が見た記事の写真からは、伝統的な日本の知恵が新しい感性で現在の生活に溶け込み、気軽に人々を楽しませている様子がうかがえました。古くなったもの、壊れたものも大切に繕い、新たな価値を持たせるという日本の歴史的な文化が、異なる文化の日々の暮らしの中に入っていく素晴らしさを目の当たりにしたようで、うれしくなりました。

「もうそんな技術は残っていない」「今ではそんな素材は入手できない」、そのような手間暇かけて昔作られたものもまた、価値や人気が急上昇しています。高度成長から失われた30年の間に消えたものも多いのですが、それでも選択と集中があまり得意ではなかった日本は、埋もれたコンテンツに恵まれている国だと思います。

それらはこれからの時代により価値を発揮できるはずです。そして、その多くが眠るのが地方であり、それを目覚めさせる「よそもの」の活用が、新たな価値を創出できるシン・チホウ誕生へとつながるのです。

世の中はコロナ禍だけではなく、いつの時代も大きく変化してきました。私が社会人になってから30年以上の時が過ぎ、人気企業や業種は言うに及ばずライフスタイルも働き方を取り巻く制度も大きく変わっています。にもかかわらず、一番変化できていないのは過去の習慣に引きずられている自分の中の「当たり前への意識」かもしれません。

私が大企業での30年の会社勤めを卒業し、一人で会社をスタートしたのは、50代半ば近くになってからです。「地域活性化をやりたい」という熱い思いはあったものの、テーマがあまりに広く、何から始めていいのか分からない不安と、手に入れた自由へのうれしさと両方の気持ちがスタート当初は混在していました。

自分で独立を選びながらも、快適そうなオフィスで働くサラリーマンを見て、ふっと出勤する場所のない日常に戸惑うことも正直ありました。それを吹き飛ばしたのがＲＣＡでの学生生活や新しい仕事でした。日々の「初めて」に無我夢中の中、気がつけば周囲の方々のサポートもあり、今はやりがいのある地域活性化の仕事に没頭し、一緒に働く仲間も増え続けています。

コロナ禍では周囲の人たちにもずいぶん変化がありました。ニューノーマルの働き方をチャンスと捉えて地方とのデュアルライフも充実させ、仕事の幅を広げる人、急に人が変わったように老け込み無気力になった人、仕事を失ったことで落ち込みながらも新しい仕事と出合った人、自分の存在感が見えなくなり眠れなくなった人、周囲の変化に戸惑い悩む人たちは多かったように思います。いずれにも共通していたのは、人とのつながりを求めるニーズが高まったことだと感じています。

21年の緊急事態宣言の中、こんな街頭インタビューを目にしました。「確かにコロナ禍で大変だけど、うちの店は関東大震災、戦争と2回焼失して今があるので今回もなんとかなると思う」。銀座で小さな飲食店を営む高齢の女将の言葉に人の強さを感じ、元気が沸いてきました。

今、時代は二者択一の「ONLYやOR」ではなく、より選択肢の広い「ANDやWITH」の時代になっています。それを感じるために越えなければならない壁は、自分の中にあるのです。心配はいりません。知識経験のない「よそもの」の価値はあらゆる場面で大きくなっていますし、その視点を受け入れられない発言には厳しい視線が注がれる時代になってきています。

とはいえ、行動しなければ自らの持つポテンシャルにすら気がつかないでしょうし、自分を必要としている人と出会うこともできません。英国のマーガレット・サッチャー元首相が大事にしていたという言葉に「考えは言葉となり、言葉は行動となり、行動は習慣となり、習慣は人格となり、人格は運命となる」というものがあります。是非勇気を持って、一歩を踏み出してほしいと願っています。

※25 Z世代…2000年代に生まれ、現在の年齢が20歳前後までの若者たちを指すことが多い。1990年代後半生まれを含む場合もある。主に米国で使う世代分類で、X世代（60〜70年代生まれ）やY世代（80〜90年代生まれ）に続くことからZ世代と呼ばれる。

あとがき

子供のころから要領がよくありませんでした。仕事でも、手間暇かかる面倒なやり方をいつも選んでしまいます。でも「これでもいいかも」と思えるようになったのは、コツコツじっくりと仕事に取り組む生産者の人たちとあちこちで出会い、仕事への奥深い向き合い方を学ばせていただけていることと、年齢を重ねたせいかもしれません。

49歳でＪＲ東日本を退職したとき、多くの人たちから「もったいない。なんで？」と聞かれました。25年働き、さまざまな壁にぶつかりながらも居心地のいい会社でもありました。

スティーブ・ジョブズ氏が米スタンフォード大学の卒業式で行った有名なスピーチに、「もし今日が最後の日だとしても、今からやろうとしていたことをするだろうか」というフレーズがあります。連日十分な睡眠時間も取れないくらい働いていたとき、いくら説得しても相手が首を縦に振ってくれなかったときなど、ボロボロの自分にこの言葉をよく投げかけました。いつも自分の中の答えは小さく「Ｙｅｓ」でした。しかし、転職、起業、留学と、変化を選んだタイミングはすべて、この答えが「Ｎｏかもしれない」と感じたときでした。

エキナカのスタート時に出会い、7年前に54歳で他界するまで公私ともに親しくさせていただいた藤巻幸夫さんも、よく思い出す一人です。伊勢丹のカリスマバイヤーとして名を馳せ、亡くなったときは参議院議員在任中でしたが、最後の10年は地域活性化にのめり込む毎日でした。ジョブズ氏や藤巻さんの早すぎる死は、すべての人に平等な「時間」の重さを、いつも私に問いかけてきます。

日本人は国際的に見て自己肯定感が極端に低いといいます。私自身、「自分に何ができるんだろう」という問いは今もありますが、自分がコンプレックスに感じることも、言い換えれば他人との「違い」であり、「個性」でもあるのです。

「よそもの」は誰かではなく、あなたです。

誰もが「よそもの」として活躍でき、同時に「よそもの」に対して壁を作ることもあります。

アップルの「Think Different」というCMをご存じの方も多いのではないでしょうか。この広告は世界中にファンが多く、私もその一人です。1997年に倒産寸前だったアップルに戻ったジョブズ氏は「Think Different」でコアバリューに立ち返り、アップルの信念を伝える広告キャンペーンを推進しました。この映像では歴史に名を刻む人物が次々と登場し、「彼らはクレージーと言われるが、私たちは天才だと思う。自分が世界を変えられると本気で信じる人たちこそが、本当に世界を変えているのだから」と語りかけます。20年以上が過ぎた今、さらに輝きを増しているようにも感じます。

これからも「よそもの」として、いろんな寄り道をしながら、人と出会い、公私ともに経験を楽しむ人生を歩みたいと思っています。

最後に本書の出版に当たり、多くの方にお力添えをいただきました。インタビューで思いを語ってくださった久松農園代表の久松達央さんやファクトリエ代表の山田敏夫さん、推薦文をいただいた花まる学習会代表の高濱正伸さん、そしてこれまで仕事の上で多くを学ばせていただいた上司や諸先輩方、日ごろからアドバイスをいただき、本書にも書かせていただいたみなさま。日経クロストレンド副編集長の山下奉仁さんや桑原恵美子さんには、初めての慣れない執筆にフルサポートいただきました。そして最後に、親の介護が必要な中、勉強の機会をくれた妹や夫をはじめとした家族に深く感謝いたします。

２０２１年３月　鎌田由美子

鎌田由美子 *Yumiko Kamada*

ONE・GLOCAL代表取締役／クリエイティブディレクター
1989年JR東日本入社。2001年エキナカ事業を手掛け、2005年「ecute」を運営するJR東日本ステーションリテイリング代表取締役社長。その後、本社事業創造本部で地域再発見PTを立ち上げ、青森「A-FACTORY」や「のもの」などで地産品の販路拡大や農産品の加工に取り組む。15年カルビー上級執行役員。19年、魅力ある素材の発掘や加工を通じ、地域デザインの視点から地元との共創事業に取り組むべく、「ONE・GLOCAL」を起業。20年4月までロンドンのRCA（Royal College of Art）に留学。社外取締役や国、行政、NHKなど各種委員、いばらき大使など地域にも深く関わる

ONE・GLOCAL
https://one-glocal.co.jp/

オンラインショップ「ひとつひとつー地域の素材とものがたりー」
https://one-glocal.shop-pro.jp/

「よそもの」が日本を変える

2021年3月22日　第1版第1刷発行

著　者	鎌田 由美子
発行者	杉本 昭彦
発　行	日経BP
発　売	日経BPマーケティング 〒105-8308 東京都港区虎ノ門4-3-12
装丁、本文デザイン	エステム
編集協力	桑原 恵美子
印刷・製本	大日本印刷
編集	山下 奉仁（日経クロストレンド）

ISBN　978-4-296-10901-2

本書の一部は「日経クロストレンド」掲載の内容を再編集、再構成したものです。